From
Shana Slovidzover

מלון עברי-אנגלי מציר לילדים

MY DICTIONARY

HEBREW-ENGLISH
ILLUSTRATED DICTIONARY
FOR CHILDREN

Author: Sarah Peless

כתיבה: שרה פלס

Educational Consultant: Dr. Aryeh Wohl

ייעוץ חינוכי: ד״ר אריה ווהל

English Translation: Dr. Alan Marbé
Meira Applebaum

תרגום לאנגלית: ד״ר אלן מרבה
מאירה אפלבאום

Production: Ya'ala Cimerman

הפקה: יעלה צימרמן

Illustrations: Dror Ben Dov
Yossi Gelbart
Alona Degani
Esther Kurti

איורים: דרור בן דב
יוסי גלברט
אלונה דגני
אסתר קורטי

Publishing Coordinators: Reuven Keynan
Arik Netser

הביאו לדפוס: ראובן קינן
אריק נצר

עימוד: מחלקת גרפיקה, מט״ח.

במהדורה העברית של ״מילוני - מילון מצויר לילדים״ השתתפו
ד״ר שלמה אריאל - בכתיבה, וגב׳ אסתר חכם - בייעוץ.

תודתנו נתונה לפרופ׳ חיים רבין על הערותיו המועילות.

רח׳ קלאוזנר 16 רמת אביב 69011
הוצאה לאור: המרכז לטכנולוגיה חינוכית תשמ״א — 1981
סידור בסדר־צילום: אותיות דפוס בע״מ, תל־אביב
הדפסה: מפעלי דפוס פלאי בע״מ, גבעתיים

16, Klausner St. Ramat Aviv 69011

Printed in Israel

מִלּוֹן עִבְרִי-אַנְגְּלִי מְצֻיָּר לִילָדִים

MY DICTIONARY

HEBREW-ENGLISH
ILLUSTRATED DICTIONARY
FOR CHILDREN

מבוא

״מילוני — עברי אנגלי״ מבוסס על ״מילוני — מילון מצויר לילדים״, שיצא לאור על-ידי המרכז לטכנולוגיה חינוכית, בישראל, בשנת 1976.

״מילוני״,המיועד לילדים דוברי עברית הנמצאים בראשית דרכם בלימוד הקריאה, מצא את דרכו גם לספרייתם של ילדים יהודים בתפוצות. הבהירות בצורה ובתוכן והאיורים הממחישים את המלה, הפכו את ״מילוני״ לחלק מספרייתם של ילדי ישראל ושל רבים מאחיהם בתפוצות.

יחד עם זאת, מצאנו כי מילון,שישלב תרגום אנגלי בהסבר העברי,עשוי לענות ביתר יעילות על צרכיו של הילד דובר האנגלית בצעדיו הראשונים בלימוד השפה העברית.

״מילוני-עברי אנגלי״ מכיל יותר מ־800 ערכים, המופיעים לפי סדר האלף־בית העברי, וקרוב ל־40 קבוצות מילים ממוינות לפי נושאים. לכל ערך — תרגומו האנגלי והיגויו באותיות לטיניות.

כמו־כן מלווה כל ערך במשפט (בעברית ובתרגום אנגלי) לשם הבהרתו והדגמת דרך השימוש בו. האיורים הצבעוניים המלווים את הערכים מוסיפים אף הם הבהרה ועניין.

בסוף הספר מופיעה רשימת הערכים של ״מילוני״ לפי סדר האלף־בית האנגלי. ליד כל ערך אנגלי רשום תרגומו העברי וכן מספר העמוד שבו מופיעה המלה במילון.

״מילוני-עברי אנגלי״ מיועד, אמנם, לילדים הלומדים עברית, אולם גם הילדים בישראל, העושים את צעדיהם הראשונים בלימוד הלשון האנגלית, יוכלו למצוא בו ספר עזר מועיל ומהנה.

Preface

For Whom is "My Dictionary" Intended?

"My Dictionary" is designed for English-speaking children in the Diaspora who wish to learn Hebrew. Although the dictionary is intended for children, the whole family can derive pleasure and benefit from it.
The basic vocabulary is more or less universal, and should therefore be suitable for both Hebrew- and English-speaking children.
In fact, Israeli children taking their first steps in English may also use this dictionary in order to learn English.
The content of the example sentences in the dictionary reflects the day-to-day life of the people living in Israel. Users of the dictionary will therefore absorb the Jewish atmosphere of Israel.

Vocabulary Selection
"My Dictionary" comprises 800 individual entries and close to 40 group entries. The vocabulary is taken from the simplest Hebrew, and each word is accompanied by an English translation.

The Sentence Examples
Each and every dictionary item features a Hebrew sentence which serves as an example of the standard use of the word. This is followed by an English sentence closely related to the Hebrew one. While the translation is not literal (because of differences in the syntactic structures of the two languages), many additional words can easily be learned from these sentences.

Script Letters
Underneath every Hebrew item, the word is also given in script letters. This should reinforce the cursive form of Hebrew print.

Pronunciation
All dictionary entries are accompanied by a pronunciation key making it easy for the reader to become acquainted with their exact pronunciation in spoken Hebrew. A key to the pronunciation system is found on page 6.

Illustrations
The illustrations in "My Dictionary" play an important part in making the meaning of the words clear to the dictionary user. Children will derive both aesthetic satisfaction and experiential utility from the illustrations; like the sentence examples, they will contribute to the reader's acquaintance with the Israeli environment and way of life.

English Alphabetical List
You can find a list of all the words explained in "My Dictionary" at the other end of this book, accompanied by the Hebrew translation of each word (and a number showing the pages where this Hebrew word may be found in the dictionary).

PRONUNCIATION — CHART

ah	(as in "Shah"): *ahf; tah; ah.vahl*	אַף; תָּא; אֲבָל	אַ, אָ, אֲ
é	(as in "Santa Fé"): *pé; tsél; é.mét*	פֶּה; צֵל; אֱמֶת	אֶ, אֵ, אֱ
ee	(as in "see"): *ee; mah.yeem*	אִי; מַיִם	(אִ)י, ×
o	(as in "lord"): *o.rén; or; or.nee.yah*	אֹרֶן; אוֹר; אָרְנִיָּה; אֳנִיָּה	אֹ, אוֹ, אָ, אֳ
oo	(as in "book"): *oor.vah; oo.lie*	אֻרְוָה; אוּלַי	אֻ, אוּ
ey	(as in "hey"): *beyn*	בֵּין	אֵי
ie	(as in "lie"): *oo.lie*	אוּלַי	אַי
ë*	(as in "the"): *doov.dë.vahn*	דֻּבְדְּבָן	×ְ
b	(as in "bib"): *bah*	בָּא	בּ
v	(as in "vow"): *dov; vahv*	דֹּב; וָו	ב, ו
g,gu**	(as in "gag", "guess"): *gahg; hé.guéh; gueev.ol*	גַּג; הֶגֶה; גִּבְעוֹל	ג
d	(as in "did"): *dod*	דּוֹד	ד
h***	(as in "he"): *hahs; hé.guéh*	הַס; הֶגֶה	ה
z	(as in "zoo"): *zoog*	זוּג	ז
kh	(as in "loch"): *khol; ahkh.bahr; eykh*	חוֹל; עַכְבָּר; אֵיךְ	ח, כ, ך
t	(as in "tight"): *tov; tah*	טוֹב; תָּא	ט, ת
y	(as in "yet"): *yom*	יוֹם	י
k	(as in "kick"): *kahd; kof*	כַּד; קוֹף	כּ, ק
l	(as in "loll"): *lool*	לוּל	ל
m	(as in "mom"): *mah.yeem*	מַיִם	מ, ם
n	(as in "noon"): *nah.tahn*	נָתָן	נ, ן
s	(as in "sis"): *soos; see.yahkh*	סוּס; שִׂיחַ	ס, שׂ
p	(as in "pop"): *péh*	פֶּה	פּ
f	(as in "fief"): *s(e)fee.nah; of*	סְפִינָה; עוֹף	פ, ף
ts	(as in "cats"): *tsahv; éts*	צָב; עֵץ	צ, ץ
r	(like French "r"): *rosh*	רֹאשׁ	ר
sh	(as in "shoe"): *shesh*	שֵׁשׁ	שׁ
j	(as in "joy"): *jee.rah.fah*	גִ'ירָפָה	ג'
	Pronounced according to their vocalization marks (as vowels): *oor.vah; ahv; é.mét; më.eel; tah.ah.reekh; éts; o.fah.no.ah*	אֻרְוָה; אָב; אֱמֶת; מְעִיל; תַּאֲרִיךְ; עֵץ; אוֹפַנּוֹעַ	א, ע

Syllabication is marked with a dot: *ah.bah* אַבָּא
Stressed syllables are underlined: *bah.nah.nah. (bah.nah.nah)* ****בָּנָנָה

---

* Only when pronounced at all: in most cases, the **shewa** *(mobile)* is not pronounced except in the most formal type of speech — when it will be indicated as *(e): ts(e)vee* צְבִי

** Before *é* (or *ee*)

*** Not pronounced after vowels at the end of a word.

**** Alternative stress (or syllabication) patterns are placed in parentheses.

For the English alphabetical list of words,
please turn to the other end of the book.

father — **אָב**

ahv — אָב

אָב הוּא אִישׁ שֶׁיֵּשׁ לוֹ בֵּן אוֹ בַּת.

A father is a man who has a son or a daughter.

Dad — **אַבָּא**

ah.bah — אַבָּא

בֵּן אוֹ בַּת קוֹרְאִים לַאֲבִיהֶם "אַבָּא".

A son or a daughter
call their father "Dad".

lost — **אָבַד**

ah.vahd — אָבַד

אָבַד לִי הַכַּדּוּר. אֲנִי מְחַפֵּשׂ אוֹתוֹ.

I lost the ball.
I am looking for it.

watermelon — **אֲבַטִּיחַ**

ah.vah.tee.ahkh — אֲבַטִּיחַ

בָּאֲבַטִּיחַ יֵשׁ גַּרְעִינִים רַבִּים.
אָנוּ אוֹכְלִים אֲבַטִּיחַ בַּקַּיִץ.

There are many seeds
in a watermelon.
We eat watermelon in the summer.

spring — **אָבִיב**

ah.veev — אָבִיב

בָּאָבִיב יֵשׁ מֶזֶג אֲוִיר נָעִים.
הָאָבִיב בָּא אַחֲרֵי הַחֹרֶף.

In the spring
the weather is pleasant.
Spring comes after winter.

but אֲבָל
ah.vahl
אֲבָל

אֲנִי אוֹהֵב לִקְרֹא סְפָרִים,
אֲבָל לֹא תָּמִיד.

I like to read books,
but not always.

stone אֶבֶן
é.vén
אֶבֶן

אֶבֶן מוֹצְאִים עַל הָאֲדָמָה.

We can find a stone
on the ground.

dust אָבָק
ah.vahk
אָבָק

אִמָּא נִגְּבָה אֶת הָאָבָק בְּמַטְלִית.

Mom wiped off the dust
with a dust-cloth.

thumb אֲגוּדָל
ah.goo.dahl
אֲגוּדָל

הַתִּינוֹק מוֹצֵץ אֲגוּדָל.

The baby is sucking his thumb.

pear אַגָּס
ah.gahs
אַגָּס

לָאַגָּס צֶבַע יָרֹק-צָהֹב.
הָאַגָּס גָּדֵל עַל עֵץ.

A pear is a green or yellow fruit.
It grows on a tree.

or — **אוֹ**

o — אוֹ

אַתָּה רוֹצֶה לָבוֹא אֵלַי, אוֹ שֶׁאֲנִי
אָבוֹא אֵלֶיךָ?

Would you like to come
and see me, or shall I come
and see you?

hamster — **אוֹגֵר**

o.guér — אוֹגֵר

אוֹגֵר הוּא בַּעַל־חַיִּים קָטָן
הַדּוֹמֶה לְעַכְבָּר.

A hamster is a small animal
that looks like a mouse.

goose — **אַוָּז**

ah.vahz — אַוָּז

הָאַוָּז הוּא עוֹף הַשָּׁט בַּמַּיִם.
הָאַוָּז דּוֹמֶה לְבַרְוָז, אֲבָל גָּדוֹל מִמֶּנּוּ.

A goose is a bird that swims
in the water. It looks
like a duck, but is larger.

air — **אֲוִיר**

ah.veer — אֲוִיר

רוּתִי נָשְׁפָה אֲוִיר לְתוֹךְ הַבַּלּוֹן.

Ruthie blew air into the balloon.

airplane — **אֲוִירוֹן**

ah.vee.ron — אֲוִירוֹן

הָאֲוִירוֹן טָס בַּשָּׁמַיִם.

An airplane flies in the sky.

perhaps אוּלַי
oo.lie אוּלַי

אֲנִי לֹא בָּטוּחַ אִם אֵצֵא לַטִּיּוּל,
אוּלַי כֵּן וְאוּלַי לֹא.

I'm not certain if I will go on the trip. Perhaps I will, and perhaps I won't.

penknife אוֹלָר
o.lahr אוֹלָר

אוֹלָר סָגוּר אֶפְשָׁר לְהַכְנִיס לַכִּיס.

You can close your penknife and put it in your pocket.

baker אוֹפֶה
o.féh אוֹפֶה

הָאוֹפֶה עוֹבֵד בַּמַּאֲפִיָּה.
הוּא אוֹפֶה לֶחֶם וְעוּגוֹת.

The baker works in the bakery.
He bakes bread and cakes.

motorcycle אוֹפַנּוֹעַ
o.fah.no.ah אוֹפַנּוֹעַ

הָאוֹפַנּוֹעַ דּוֹמֶה לְאוֹפַנַּיִם,
אֲבָל יֵשׁ לוֹ מָנוֹעַ.

The motorcycle is like a bicycle but it has a motor.

bicycle אוֹפַנַּיִם
o.fah.nah.yeem אוֹפַנַּיִם

אָנוּ רוֹכְבִים עַל אוֹפַנַּיִם.
לָאוֹפַנַּיִם יֵשׁ שְׁנֵי גַּלְגַּלִּים.

We ride bicycles.
A bicycle has two wheels.

א ב ג ד ה ו ז ח ט י כ ל מ נ ס ע פ צ ק ר ש ת

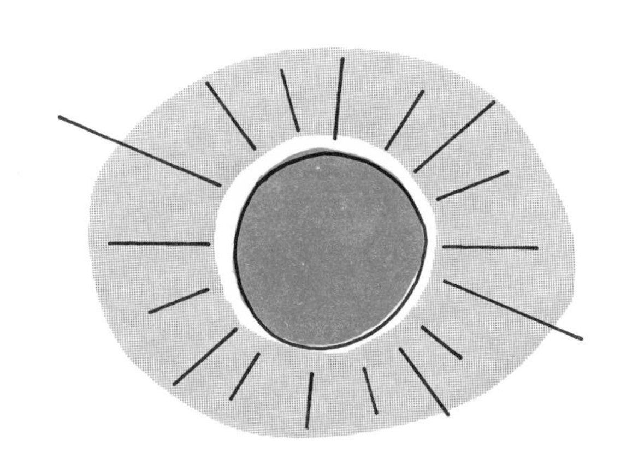

light	אוֹר
or	אור

הַשֶּׁמֶשׁ נוֹתֶנֶת לָנוּ אוֹר.

The sun gives us light.

Printed Letters *o.tee.yot d(e)foos* אוֹתִיּוֹת דְּפוּס

חֵית	זַיִן	וָו	הֵא	דָּלֶת	גִּימֶל	בֵּית	אָלֶף
khét	*zah.yeen*	*vahv*	*hey*	*dah.lét*	*guee.mél*	*bét*	*ah.léf*
עַיִן	סָמֶךְ	נוּן	מֵם	לָמֶד	כָּף	יוֹד	טֵית
ah.yeen	*sah.mékh*	*noon*	*mém*	*lah.méd*	*kahf*	*yod*	*tét*
		תָּו	שִׁין	רֵישׁ	קוֹף	צָדִי	פֵּא
		tahv	*sheen*	*reysh*	*koof*	*tsah.dee*	*pé*

Final Letters *o.tee.yot so.fee.yot* אוֹתִיּוֹת סוֹפִיּוֹת

ן נוּן סוֹפִית — final noon — *noon so.feet*

ך כָּף סוֹפִית — final khahf — *khahf so.feet*

ם מֵם סוֹפִית — final mém — *mém so.feet*

ף פֵּא סוֹפִית — final pé — *pé so.feet*

ץ צָדִי סוֹפִית. — final tsah-dee — *tsah.dee so.feet*

Handwritten Letters *o.tee.yot k(e)tahv* אוֹתִיּוֹת כְּתָב

א ב ג ד ה ו ז ח ט י כ ל מ נ

ס ע פ צ ק ר ש ת ך ם ן ף ץ

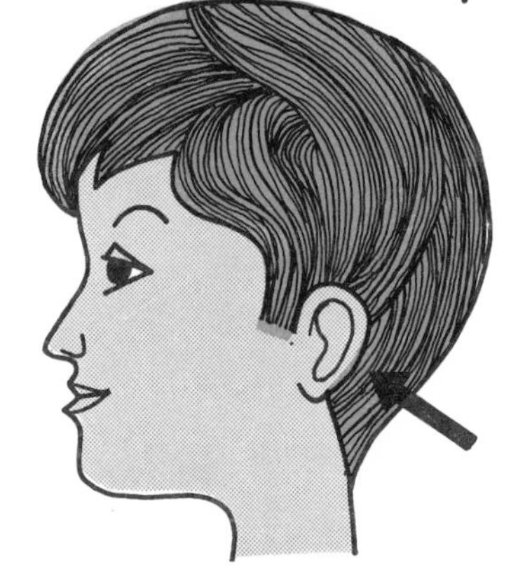

ear	אֹזֶן
o.zén	אוזן

הָאֹזֶן הִיא אֵבֶר בַּגּוּף.

בְּנֵי־אָדָם שׁוֹמְעִים בָּאָזְנַיִם.

The ear is part of our body.

We hear with our ears.

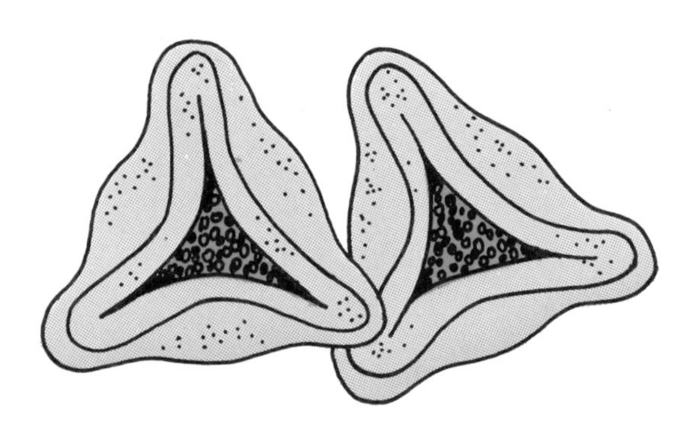

hamantashen אָזְנֵי־הָמָן

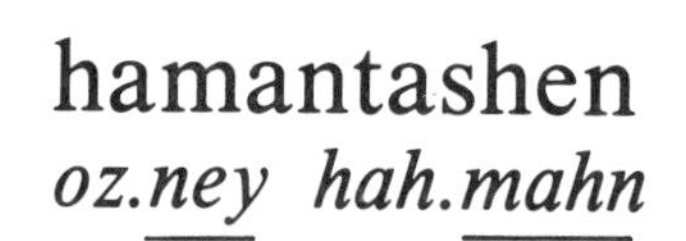

oz.ney hah.mahn

אָזְנֵי-הָמָן

בְּפּוּרִים אוֹכְלִים אָזְנֵי־הָמָן.

We eat hamantashen on Purim.

alarm אַזְעָקָה

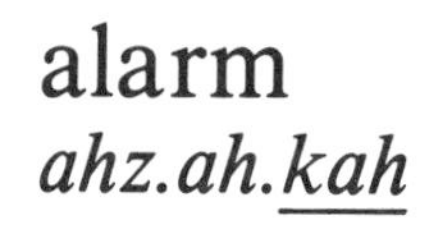

ahz.ah.kah

אַזְעָקָה

אַזְעָקָה הִיא צִלְצוּל חָזָק מְאֹד אוֹ צְפִירָה.

An alarm is a very loud sound or siren.

nurse אָחוֹת

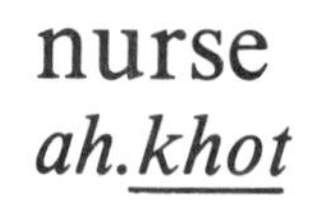

ah.khot

אָחוֹת

אָחוֹת הִיא אִשָּׁה שֶׁהַמִּקְצוֹעַ שֶׁלָּהּ טִפּוּל בְּחוֹלִים.

A nurse is a person whose job is taking care of sick people.

noodle אִטְרִיָּה

eet.ree.yah

אִטְרִיָּה

אָכַלְתִּי בַּצָּהֳרַיִם קְעָרָה מְלֵאָה אִטְרִיּוֹת.
לֹא נִשְׁאֲרָה אֲפִלּוּ אִטְרִיָּה אַחַת.

I ate a bowlful of noodles for lunch.
Not even a single noodle was left over.

island אִי

ee

אִי

קַפְרִיסִין הוּא אִי קָרוֹב לִמְדִינַת יִשְׂרָאֵל.

Cyprus is an island close to the State of Israel.

how — **אֵיךְ**
eykh — אֵיךְ

אֵיךְ הִגַּעְתָּ לְתֵל־אָבִיב?
נָסַעְתִּי בְּאוֹטוֹבּוּס.
"How did you get to Tel-Aviv?"
"I travelled there by bus."

ram — **אַיִל**
ah.yeel — אַיִל

הָאַיִל הוּא מַנְהִיג בְּעֵדֶר הַכְּבָשִׂים.
The ram is the leader
in a herd of sheep.

doe — **אַיָּלָה**
ah.yah.lah — אַיָּלָה

לָאַיָּלָה רַגְלַיִם דַּקּוֹת, וְהִיא רָצָה מַהֵר.
A doe has slender legs and
can run very fast.

tree — **אִילָן**
ee.lahn — אִילָן

אִילָן גָּדֵל בַּשָּׂדֶה אוֹ בַּגַּן.
A tree can grow in the field or
in the garden.

where — **אֵיפֹה**
ey.fo — אֵיפֹה

אֵיפֹה אַתָּה גָּר? בְּחֵיפָה.
"Where do you live?" "In Haifa."

ate — **אָכַל**

ah.khal — אָכַל

רָמִי אָכַל אֶת הָאֹכֶל הַטָּעִים.

Rami ate the tasty food.

farmer — **אִכָּר**

ee.kar — אִכָּר

אִכָּר גָּר בַּכְּפָר, וְיֵשׁ לוֹ מֶשֶׁק.

A farmer lives in a village and has a farm.

oak — **אַלּוֹן**

ah.lon — אַלּוֹן

אַלּוֹן הוּא עֵץ יַעַר גָּדוֹל וְחָזָק.

An oak is a big, strong tree that grows in a forest.

major-general — **אַלּוּף**

ah.loof — אַלּוּף

אַלּוּף הוּא קָצִין גָּבֹהַּ בְּצַהַ"ל.

A major-general is a high-ranking officer in Israel's army.

mother — **אֵם**

ém — אֵם

אֵם הִיא אִשָּׁה שֶׁיֵּשׁ לָהּ בֵּן אוֹ בַּת.

A mother is a woman who has a son or a daughter.

if — אִם

eem

אִם

אִם אַתָּה מַדְלִיק מְנוֹרָה — יֵשׁ אוֹר.

If you light a lamp there is light.

Mom — אִמָּא

ee.mah

אִמָּא

בָּנִים אוֹ בָּנוֹת קוֹרְאִים לְאִמָּם "אִמָּא".

Sons or daughters call their mother "Mom".

ambulance — אַמְבּוּלַנְס

ahm.boo.lahns

אַמְבּוּלַנְס

אַמְבּוּלַנְס מֵבִיא אֲנָשִׁים חוֹלִים
אוֹ פְּצוּעִים לְבֵית־חוֹלִים.

An ambulance brings sick or wounded people to a hospital.

bathtub — אַמְבַּטְיָה

ahm.baht.yah

אַמְבַּטְיָה

אִמָּא מִלְּאָה אֶת הָאַמְבַּטְיָה בְּמַיִם.
אֲנִי מִתְרַחֵץ בָּאַמְבַּטְיָה.

Mom filled the bathtub with water.
I wash myself in the bathtub.

middle — אֶמְצַע

ém.tsah

אֶמְצַע

אֲנִי עוֹמֵד בְּאֶמְצַע הַמַּעְגָּל.

I am standing in the middle of the circle.

said **אָמַר**
ah.mahr אָמַר

אָסָף אָמַר "שָׁלוֹם", כְּשֶׁבָּא הַבַּיְתָה.
Asaf said "Hello"
when he came home.

truth **אֱמֶת**
é.mét אֱמֶת

אֱמֶת הִיא הַהֵפֶךְ מִשֶּׁקֶר.
The truth is the opposite of a lie.

My family and I אֲנִי וְהַמִּשְׁפָּחָה שֶׁלִּי
ah.nee vé.hah.mishpah.khah shé.lee

סַבְתָּא
grandmother
sahv.tah

סַבָּא
grandfather
sah.bah

סַבְתָּא
Grandma
sahv.tah

סַבָּא
Grandpa
sah.bah

דוֹדָה
aunt
do.dah

דוֹד
uncle
dod

אִמָּא
Mom
ee.mah

אַבָּא
Dad
ah.bah

דוֹדָה
aunt
do.dah

דוֹד
uncle
dod

בַּת דוֹדָה
cousin
baht do.dah

בֶּן דוֹד
cousin
bén dod

אֲחוֹתִי
my sister
ah.kho.tee

אֲנִי
me
ah.nee

אָחִי
my brother
ah.khee

בַּת דוֹדָה
cousin
baht do.dah

בֶּן דוֹד
cousin
bén dod

א
ב
ג
ד
ה
ו
ז
ח
ט
י
כ
ל
מ
נ
ס
ע
פ
צ
ק
ר
ש
ת

ship אֳנִיָּה
o.nee.yah

אֳנִיָּה שָׁטָה בַּיָּם.
A ship sails across the sea.

People *ah.nah.sheem* אֲנָשִׁים

men גְּבָרִים
g(e)vah.reem

a man גֶּבֶר
gué.vér

women נָשִׁים
nah.sheem

a woman אִשָּׁה
ee.shah

boys יְלָדִים
yë.lah.deem

a boy יֶלֶד
yé.léd

girls יְלָדוֹת
yë.lah.dot

a girl יַלְדָּה
yahl.dah

old men זְקֵנִים
z(e)ké.neem

an old man זָקֵן
zah.kén

old women זְקֵנוֹת
z(e)ké.not

זְקֵנָה
an old woman
z(e)ké.nah

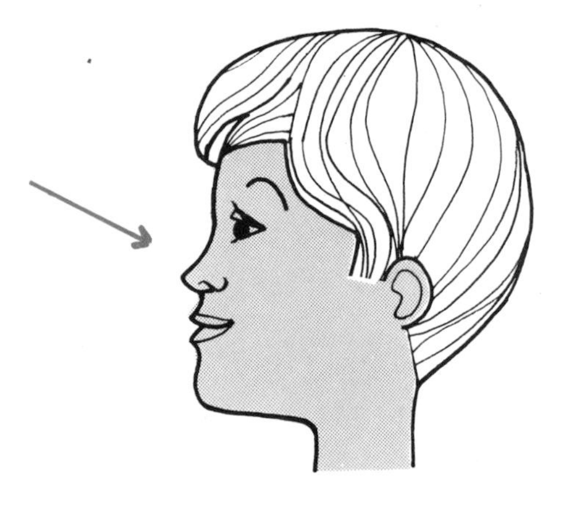

nose אַף
ahf
אַף

הָאַף הוּא אֵבֶר בַּגּוּף שֶׁלָּנוּ.
אָנוּ מְרִיחִים בָּאַף.

The nose is part of our body.
We can smell with our nose.

chick אֶפְרוֹחַ
éf.ro.ahkh
אֶפְרוֹחַ

אֶפְרוֹחַ הוּא עוֹף שֶׁלֹּא מִזְּמַן יָצָא מֵהַבֵּיצָה.

A chick is a chicken just out of its shell.

aquarium אַקְוַרְיוֹן
ahk.vahr.yon
אַקְוַרְיוֹן

אַקְוַרְיוֹן הוּא כְּלִי זְכוּכִית לְגִדּוּל דָּגִים.

An aquarium is a glass container used to grow fish in.

chimney אֲרֻבָּה
ah.roo.bah
אֲרֻבָּה

מֵאֲרֻבָּה יוֹצֵא עָשָׁן.

Smoke is coming out of the chimney.

stable אֻרְוָה
oor.vah
אֻרְוָה

אֻרְוָה הִיא בַּיִת שֶׁל סוּסִים.

A stable is a house for horses.

wardrobe **אָרוֹן**

ah.ron אָרוֹן

אָרוֹן הוּא רָהִיט שֶׁשָּׂמִים בּוֹ בְּגָדִים.

A wardrobe is a piece of furniture. We put clothes in it.

rice **אֹרֶז**

o.réz אֹרֶז

אֹרֶז גָּדֵל בְּשָׂדֶה שֶׁיֵּשׁ בּוֹ הַרְבֵּה מַיִם.

Rice grows in a field which has lots of water.

lion **אַרְיֵה**

ah.ree.yéh (ahr.yéh) אַרְיֵה

אַרְיֵה הוּא חַיָּה טוֹרֶפֶת.
הָאַרְיֵה גָּדוֹל וְחָזָק.

A lion is a wild animal.
It is big and strong.

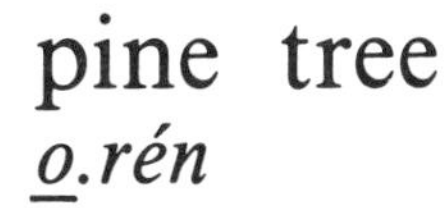

pine tree **אֹרֶן**

o.rén אֹרֶן

אֹרֶן הוּא עֵץ הַגָּדֵל בַּיַּעַר.
הֶעָלִים שֶׁלּוֹ דּוֹמִים לְמְחָטִים.

A pine tree is a tree that grows in the forest. It has leaves like needles.

hare **אַרְנֶבֶת**

ahr.né.vét אַרְנֶבֶת

אַרְנֶבֶת הִיא בַּעַל־חַיִּים
שֶׁיֵּשׁ לוֹ פַּרְוָה יָפָה וְאָזְנַיִם אֲרֻכּוֹת.

A hare is an animal with soft fur and long ears.

pine mushroom אָרְנִיָּה
or.nee.yah אָרְנִיָּה

אָרְנִיָּה הִיא פִּטְרִיָּה הַצּוֹמַחַת עַל־יַד עֲצֵי אֹרֶן.

A pine mushroom grows near pine trees.

purse אַרְנָק
ahr.nahk אַרְנָק

כֶּסֶף שׁוֹמְרִים בְּאַרְנָק סָגוּר, כְּדֵי שֶׁלֹּא יֵלֵךְ לְאִבּוּד.

Money is kept in a closed purse so it doesn't get lost.

fire אֵשׁ
ésh אֵשׁ

אַבָּא מַדְלִיק אֵשׁ בְּעֶזְרַת גַּפְרוּר.

Dad lights the fire with a match.

grapefruit אֶשְׁכּוֹלִית
ésh.ko.leet אֶשְׁכּוֹלִית

אֶשְׁכּוֹלִית הִיא פְּרִי־הָדָר צָהֹב־יָרֹק. הָאֶשְׁכּוֹלִית גְּדוֹלָה מִן הַתַּפּוּז.

A grapefruit is a yellow-green citrus fruit bigger than an orange.

garbage אַשְׁפָּה
ahsh.pah אַשְׁפָּה

לָאַשְׁפָּה זוֹרְקִים קְלִפּוֹת שֶׁלֹּא אוֹכְלִים.

We throw peels we don't eat into the garbage.

shovel — **אֵת**

ét — אֵת

אֵת הוּא כְּלִי חֲפִירָה.

A shovel is a tool to dig with.

yesterday — **אֶתְמוֹל**

ét.mol — אֶתְמוֹל

שָׁכַבְתִּי לִישׁוֹן אֶתְמוֹל בָּעֶרֶב,
וְקַמְתִּי הַיּוֹם בַּבֹּקֶר.

Yesterday I lay down to sleep in the evening, and I got up this morning.

ethrog — **אֶתְרוֹג**

ét.rog — אֶתְרוֹג

אֶתְרוֹג הוּא פְּרִי־הָדָר הַדּוֹמֶה לְלִימוֹן.

An ethrog is a citrus fruit that looks like a lemon.

came — **בָּא**

bah — בָּא

קָרָאתִי לַכֶּלֶב, וְהוּא בָּא אֵלַי.

I called the dog and he came to me.

doll — **בֻּבָּה**

boo.bah — בֻּבָּה

יֵשׁ לִי בֻּבָּה דּוֹמָה לְתִינֹקֶת.
הִיא אוֹמֶרֶת "אִמָּא".

I have a baby doll.
She says "Momma"

clothing — בֶּגֶד

bé.guéd

בֶּגֶד

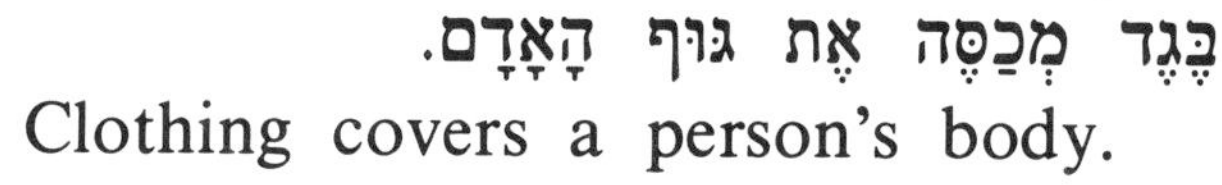

בֶּגֶד מְכַסֶּה אֶת גּוּף הָאָדָם.

Clothing covers a person's body.

cloth — בַּד

bahd

בַּד

הַתּוֹפֶרֶת גָּזְרָה אֶת הַבַּד, וְתָפְרָה שִׂמְלָה.

The dressmaker cut the cloth and made a dress.

joke — בְּדִיחָה

b(e)dee.khah

בְּדִיחָה

אוּרִי סִפֵּר בְּדִיחָה, וְכָל הַיְלָדִים צָחֲקוּ.

Uri told a joke and all the children laughed.

stamp — בּוּל

bool

בּוּל

אָנוּ מַדְבִּיקִים בּוּל עַל מִכְתָּב שֶׁשּׁוֹלְחִים בַּדֹּאַר.

We put a stamp on a letter that we send in the mail.

hole — בּוֹר

bor

בּוֹר

הַגַּנָּן חָפַר בּוֹר וְשָׁתַל בּוֹ עֵץ.

The gardener dug a hole and planted a tree in it.

Clothes בְּגָדִים

b(e)gah.deem

raincoat מְעִיל-גֶּשֶׁם
më.eel gué.shém

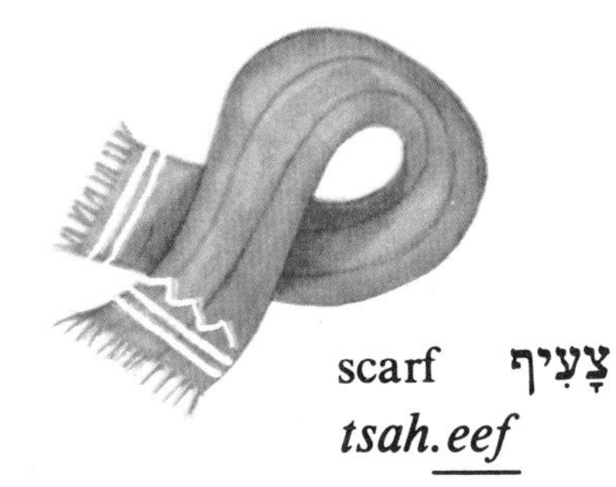

scarf צָעִיף
tsah.eef

skirt חֲצָאִית
khah.tsah.eet

dress שִׂמְלָה
seem.lah

coat מְעִיל
më.eel

blouse חֻלְצָה
khool.tsah

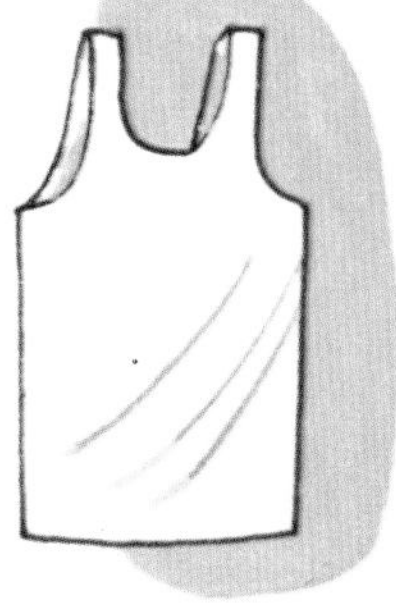

undershirt גּוּפִיָּה
goo.fee.yah

shoes נַעֲלַיִם
nah.ah.lah.yeem

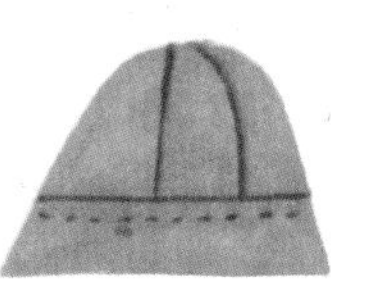

hat כּוֹבַע
ko.vah

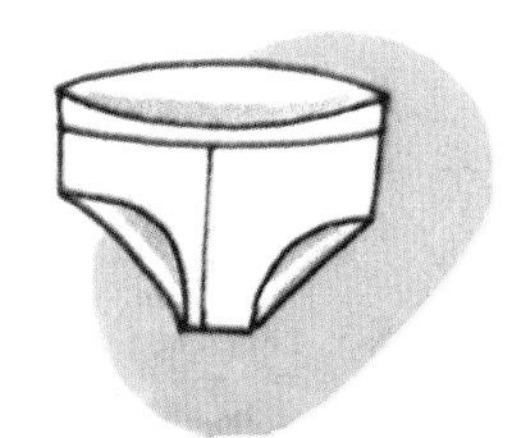

underpants תַּחְתּוֹנִים
takh.to.neem

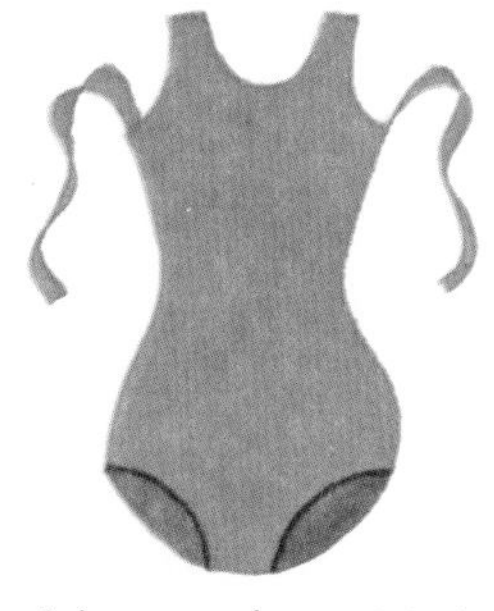

bathing suit בֶּגֶד-יָם
bé.guéd yahm

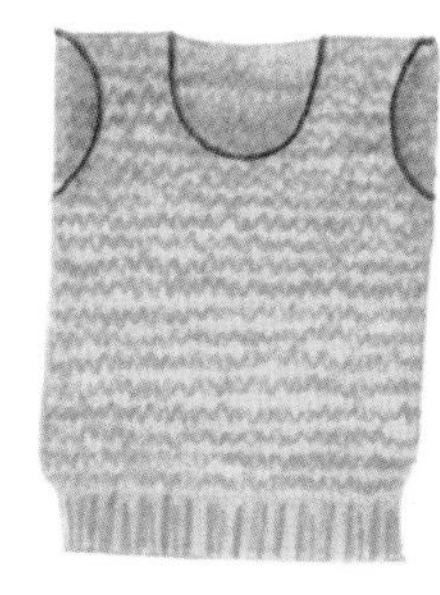

sweater vest אֲפֻדָּה
ah.foo.dah

sweater סְוֶדֶר
své.dér

socks גַּרְבַּיִם
gahr.bah.yeem

pants מִכְנָסַיִם
meekh.nah.sah.yeem

boots מַגָּפַיִם
mah.gah.fah.yeem

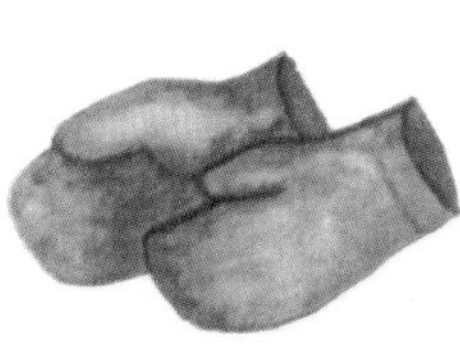

mittens כְּפָפוֹת
k(e)fah.fot

egg — בֵּיצָה

bey.tsah

בֵּיצָה

תַּרְנְגֹלֶת מְטִילָה בֵּיצָה.

A chicken lays an egg.

house — בַּיִת

bah.yeet

בַּיִת

אֲנָשִׁים גָּרִים בְּתוֹךְ הַבַּיִת.

People live in a house.

packing house — בֵּית־אֲרִיזָה

beyt-ah.ree.zah

בֵּית־אֲרִיזָה

בְּבֵית־הָאֲרִיזָה אוֹרְזִים פְּרִי־הָדָר בְּאַרְגָּזִים.

A packing house is where oranges are packed in crates.

printing house — בֵּית־דְּפוּס

beyt-d(e)foos

בֵּית־דְּפוּס

בֵּית־דְּפוּס הוּא מָקוֹם שֶׁמַּדְפִּיסִים בּוֹ סְפָרִים, עִתּוֹנִים וְעוֹד.

A printing house is a place where books, newspapers and other things are printed.

hospital — בֵּית־חוֹלִים

beyt-kho.leem

בֵּית־חוֹלִים

בְּבֵית־חוֹלִים יֵשׁ רוֹפְאִים וַאֲחָיוֹת, שֶׁמְּטַפְּלִים בַּחוֹלִים אוֹ בַּפְּצוּעִים.

In a hospital there are doctors and nurses who take care of sick or wounded people.

א ב ג ד ה ו ז ח ט י כ ל מ נ ס ע פ צ ק ר ש ת

א
ב
ג
ד
ה
ו
ז
ח
ט
י
כ
ל
מ
נ
ס
ע
פ
צ
ק
ר
ש
ת

factory בֵּית־חֲרֹשֶׁת

beyt-khah.ro.shét בֵּית־חֲרֹשֶׁת

בְּבֵית־חֲרֹשֶׁת מְיַצְּרִים דְּבָרִים בִּמְכוֹנוֹת.

A factory makes things
with machines.

synagogue בֵּית־כְּנֶסֶת

beyt-k(e)né.sét בֵּית־כְּנֶסֶת

בֵּית־כְּנֶסֶת הוּא מָקוֹם
שֶׁמִּתְפַּלְּלִים בּוֹ יְהוּדִים
בַּחַגִּים, בְּשַׁבָּת וּבְיָמִים אֲחֵרִים.

A synagogue is a place where Jews
pray on holidays, on the Sabbath
and on ordinary days.

drugstore בֵּית־מִרְקַחַת

beyt-meer.kah.khaht

בֵּית־מִרְקַחַת

בֵּית־מִרְקַחַת הוּא חֲנוּת שֶׁבָּהּ
מְכִינִים וּמוֹכְרִים תְּרוּפוֹת.

A drugstore is a store where
medicines are prepared and sold.

school בֵּית־סֵפֶר

beyt-sé.fér בֵּית־סֵפֶר

בַּיִת שֶׁבּוֹ לוֹמְדִים תַּלְמִידִים
נִקְרָא בֵּית־סֵפֶר.

A building where pupils learn
is called a school.

cried בָּכָה

bah.khah בָּכָה

נוֹעָה בָּכְתָה כַּאֲשֶׁר קָרְאָה סִפּוּר עָצוּב.
אָמִיר לֹא בָּכָה.

Noa cried when she read
a sad story. Amir didn't cry.

Animals bah.ah.ley khah.yeem בַּעֲלֵי־חַיִּים
elephant פִּיל
peel
turtle צָב
tsahv
fox שׁוּעָל
shoo.ahl
mouse עַכְבָּר
ahkh.bahr
tiger נָמֵר
nah.mér
hare אַרְנֶבֶת
ahr.né.vét
סְנָאִי
squirrel
snah.ee
גִ׳ירָפָה
giraffe
jee.rah.fah
zebra זֶבְּרָה
zéb.rah
נָחָשׁ
snake
nah.khash
בַּת־יַעֲנָה (יָעֵן)
ostrich
baht-yah.ah.nah
lizard לְטָאָה
lë.tah.ah
cat חָתוּל
kha.tool
fish דָּג
dahg
ts(e)vee deer צְבִי
דֹּב
bear
dov
קוֹף
monkey
kof
אַרְיֵה
lion
ah.ree.yéh (ahr.yéh)

first-born son **בְּכוֹר**

b(e)khor בְּכוֹר

אָחִי הַגָּדוֹל הוּא הַבְּכוֹר בַּמִּשְׁפָּחָה.

My big brother is the first-born son in the family.

first fruits **בִּכּוּרִים**

bee.koo.<u>reem</u> בִּכּוּרִים

חַג הַבִּכּוּרִים הוּא שֵׁם נוֹסָף לְחַג הַשָּׁבוּעוֹת.

Another name for the holiday of Shavuot is "Feast of the First Fruits".

balloon **בַּלּוֹן**

bah.<u>lon</u> בַּלּוֹן

צְבִי נִפֵּחַ בַּלּוֹן וְקָשַׁר אוֹתוֹ בְּחוּט.

Tsvi blew up a balloon and tied it with a piece of string.

without **בְּלִי**

b(e)lee בְּלִי

אֲנִי אוֹהֵב עוּגָה עִם צִמּוּקִים וְאָחִי — בְּלִי צִמּוּקִים.

I like my cake with raisins and my brother likes his cake without raisins.

swallowed **בָּלַע**

bah.<u>lah</u> בָּלַע

רָמִי הָיָה חוֹלֶה. הוּא בָּלַע תְּרוּפָה וְהִבְרִיא.

When Rami was sick he swallowed some medicine and got better.

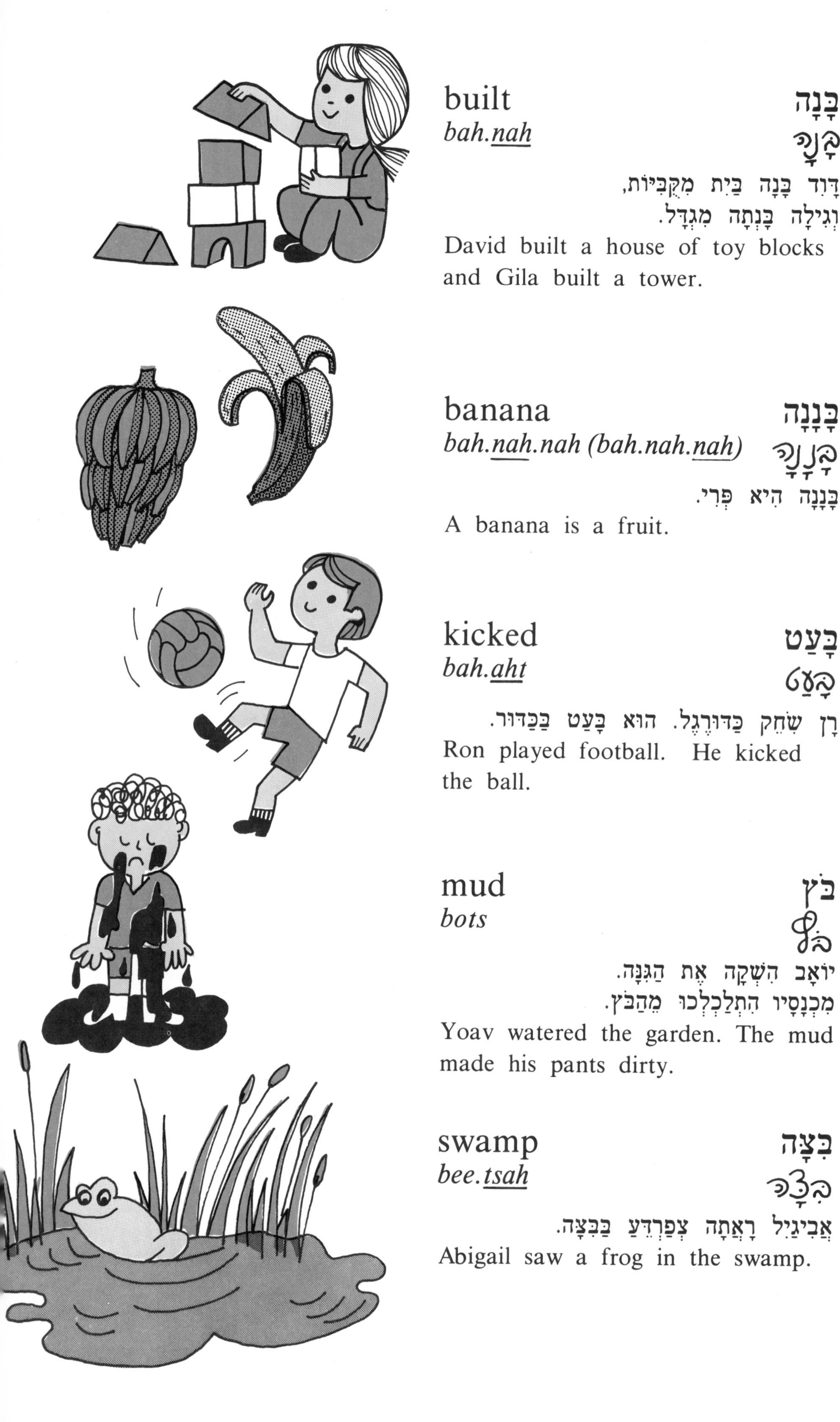

built בָּנָה
bah.nah בָּנָה

דָּוִד בָּנָה בַּיִת מִקֻּבִּיּוֹת,
וְגִילָה בָּנְתָה מִגְדָּל.

David built a house of toy blocks and Gila built a tower.

banana בָּנָנָה
bah.nah.nah (bah.nah.nah) בָּנָנָה

בָּנָנָה הִיא פְּרִי.

A banana is a fruit.

kicked בָּעַט
bah.aht בָּעַט

רָן שִׂחֵק כַּדּוּרֶגֶל. הוּא בָּעַט בַּכַּדּוּר.

Ron played football. He kicked the ball.

mud בֹּץ
bots בֹּץ

יוֹאָב הִשְׁקָה אֶת הַגִּנָּה.
מִכְנָסָיו הִתְלַכְלְכוּ מֵהַבֹּץ.

Yoav watered the garden. The mud made his pants dirty.

swamp בִּצָּה
bee.tsah בִּצָּה

אֲבִיגַיִל רָאֲתָה צְפַרְדֵּעַ בַּבִּצָּה.

Abigail saw a frog in the swamp.

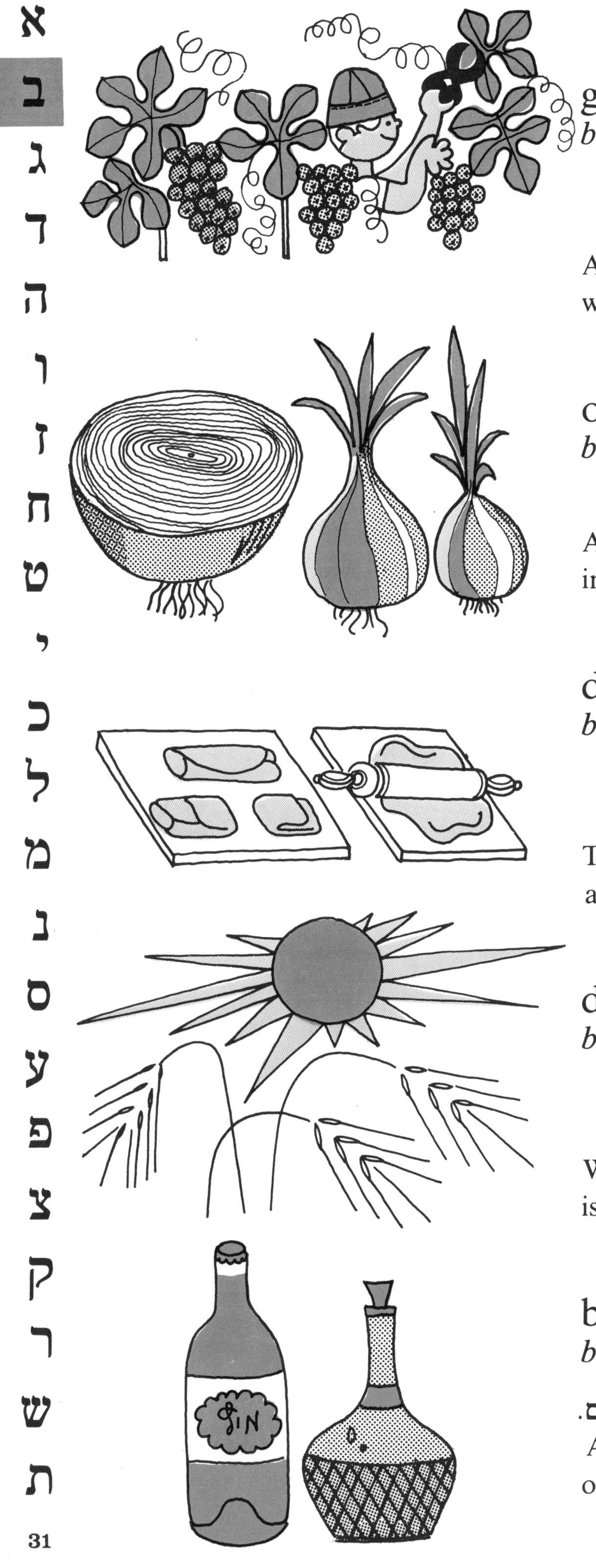

grape-harvest בָּצִיר

bah.tsir בָּצִיר

בִּזְמַן הַבָּצִיר אָנוּ קוֹטְפִים עֲנָבִים
מִן הַגְּפָנִים.

At the time of the grape-harvest
we cut grapes from the vines.

onion בָּצָל

bah.tsahl בָּצָל

בָּצָל הוּא יָרָק הַצּוֹמֵחַ בְּתוֹךְ הָאֲדָמָה.

An onion is a vegetable that grows
in the ground.

dough בָּצֵק

bah.tsék בָּצֵק

הָאוֹפֶה לָשׁ אֶת הַבָּצֵק,
וְאוֹפֶה מִמֶּנּוּ לֶחֶם.

The baker kneads the dough
and bakes it into bread.

drought בַּצֹּרֶת

bah.tso.rét בַּצֹּרֶת

כְּשֶׁיֵּשׁ בַּצֹּרֶת הָאֲדָמָה יְבֵשָׁה, וְהַחִטָּה
אֵינָהּ גְּדֵלָה.

When there is drought the ground
is dry and the wheat doesn't grow.

bottle בַּקְבּוּק

bahk.book בַּקְבּוּק

בְּבַקְבּוּק יֵשׁ מִיץ, יַיִן אוֹ נוֹזְלִים אֲחֵרִים.

A bottle holds wine, juice or
other liquids.

morning בֹּקֶר

<u>bo</u>.kér בֹּקֶר

אֵהוּד מִתְעוֹרֵר בַּבֹּקֶר, וְהוֹלֵךְ לְבֵית־הַסֵּפֶר.

Ehud gets up in the morning and goes to school.

request בַּקָּשָׁה

bah.kah.<u>shah</u> בַּקָּשָׁה

כְּשֶׁיֵּשׁ לִי בַּקָּשָׁה
אֲנִי תָּמִיד אוֹמֵר "בְּבַקָּשָׁה".

When I have a request,
I always say "Please".

swan בַּרְבּוּר

bahr.<u>boor</u> בַּרְבּוּר

בַּרְבּוּר הוּא עוֹף מַיִם גָּדוֹל וְיָפֶה.

A swan is a big, beautiful water bird.

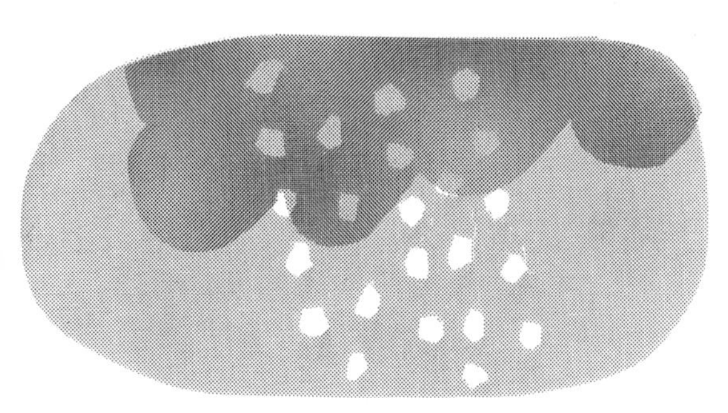

hail בָּרָד

bah.<u>rahd</u> בָּרָד

בַּלַּיְלָה שָׁמַעְתִּי בָּרָד דּוֹפֵק
עַל זְכוּכִית הַחַלּוֹן.

At night I heard hail
hitting the window pane.

duck בַּרְוָז

bahr.<u>vahz</u> בַּרְוָז

בַּרְוָז דּוֹמֶה לְאַוָּז אֲבָל קָטָן מִמֶּנּוּ.

A duck is like a goose,
but smaller.

cypress — **בְּרוֹשׁ**

b(e)rosh — בְּרוֹשׁ

בְּרוֹשׁ הוּא עֵץ גָּבֹהַּ וְזָקוּף.

A cypress is a tall, straight tree.

faucet — **בֶּרֶז**

bé.réz — בֶּרֶז

אַבָּא פָּתַח אֶת הַבֶּרֶז, וְהִשְׁקָה אֶת הַגִּנָּה.

Dad turned on the faucet
and watered the garden.

ran away — **בָּרַח**

bah.rahkh — בָּרַח

הֶחָתוּל בָּרַח מֵהַכֶּלֶב.

The cat ran away from the dog.

healthy — **בָּרִיא**

bah.ree — בָּרִיא

דָּן הָיָה חוֹלֶה, אֲבָל עַכְשָׁו הוּא בָּרִיא.

Dan was ill but now he is healthy.

swimming pool — **בְּרֵכָה**

b(e)ré.khah — בְּרֵכָה

דָּנִי קָפַץ לְתוֹךְ הַבְּרֵכָה, וְשָׂחָה.

Danny jumped
into the swimming pool and swam.

lightning — בָּרָק
bah.rahk — בָּרָק

בָּרָק בָּא בְּיוֹם גֶּשֶׁם,
כְּשֶׁיֵּשׁ הַרְבֵּה עֲנָנִים.

Lightning comes on a rainy day
when there are many clouds.

back — גַּב
gahv — גַּב

מֹשֶׁה נוֹשֵׂא אֶת הַיַּלְקוּט עַל הַגַּב.

Moshe carries his school bag
on his back.

tall — גָּבֹהַּ
gah .vo.ah — גָּבֹהַּ

אָחִי הַחַיָּל גָּבֹהַּ מִמֶּנִּי.

My brother is a soldier.
He is taller than I am.

cheese — גְּבִינָה
g(e)vee.nah — גְּבִינָה

גְּבִינָה הִיא מָזוֹן שֶׁעוֹשִׂים מֵחָלָב.

Cheese is a food which we make
out of milk.

stem — גִּבְעוֹל
gueev.ol — גִּבְעוֹל

מִגִּבְעוֹל הַצֶּמַח יוֹצְאִים עָלִים,
פְּרָחִים וּפֵרוֹת.

The leaves, flowers and fruit grow
out of the stem of a plant.

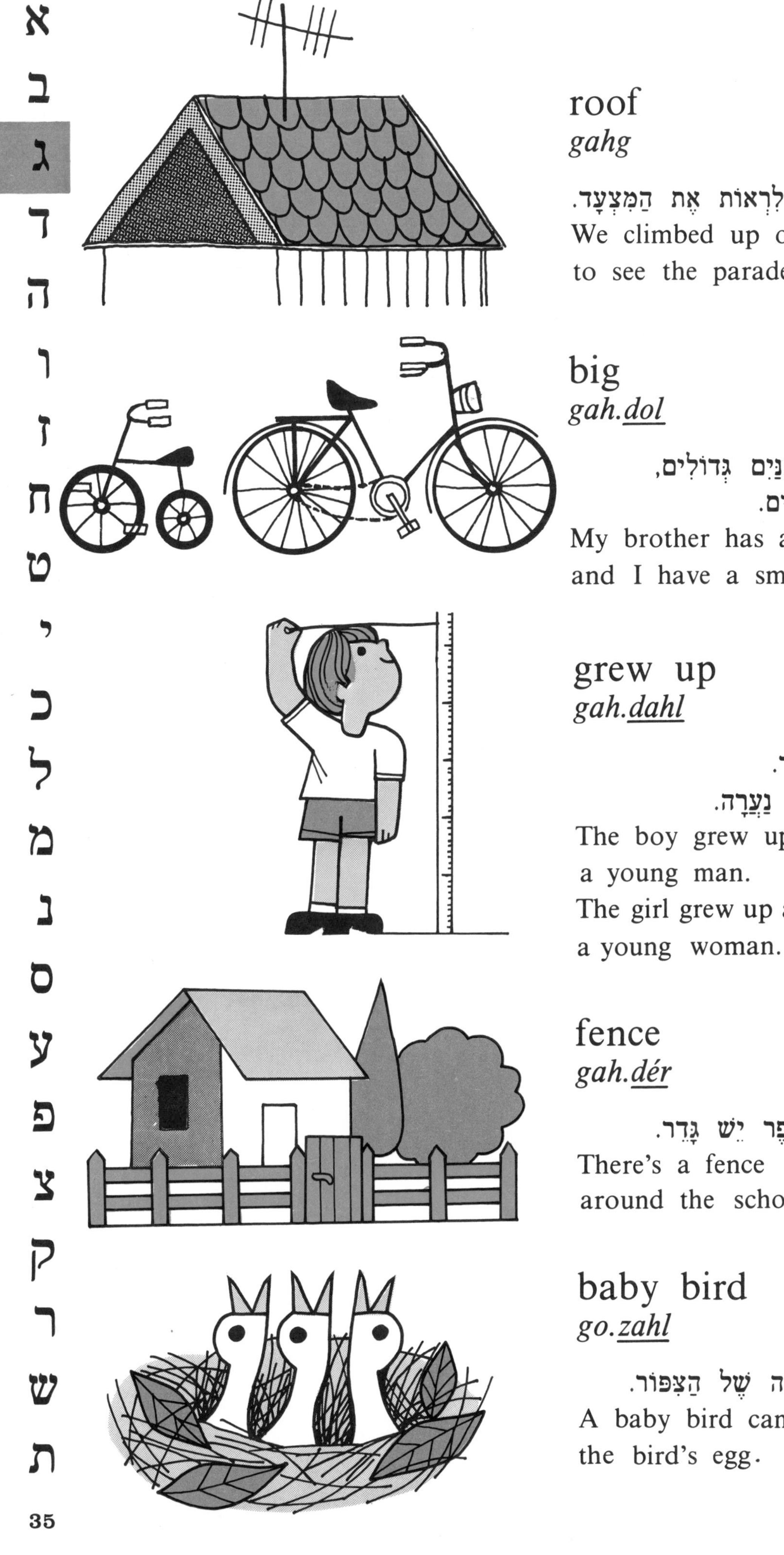

א ב ג ד ה ו ז ח ט י כ ל מ נ ס ע פ צ ק ר ש ת

roof — גַּג

gahg — גַּג

עָלִינוּ עַל הַגַּג, כְּדֵי לִרְאוֹת אֶת הַמִּצְעָד.

We climbed up on the roof
to see the parade.

big — גָּדוֹל

gah.dol — גָּדוֹל

לְאָחִי הַגָּדוֹל יֵשׁ אוֹפַנַּיִם גְּדוֹלִים,
וְלִי — אוֹפַנַּיִם קְטַנִּים.

My brother has a big bicycle
and I have a small one.

grew up — גָּדַל

gah.dahl — גָּדַל

הַיֶּלֶד גָּדַל וְנַעֲשָׂה נַעַר.
הַיַּלְדָּה גָּדְלָה וְנַעֶשְׂתָה נַעֲרָה.

The boy grew up and became
a young man.
The girl grew up and became
a young woman.

fence — גָּדֵר

gah.dér — גָּדֵר

מִסָּבִיב לַחֲצַר בֵּית־הַסֵּפֶר יֵשׁ גָּדֵר.

There's a fence
around the schoolyard.

baby bird — גּוֹזָל

go.zahl — גּוֹזָל

גּוֹזָל קָטָן יָצָא מֵהַבֵּיצָה שֶׁל הַצִּפּוֹר.

A baby bird came out of
the bird's egg.

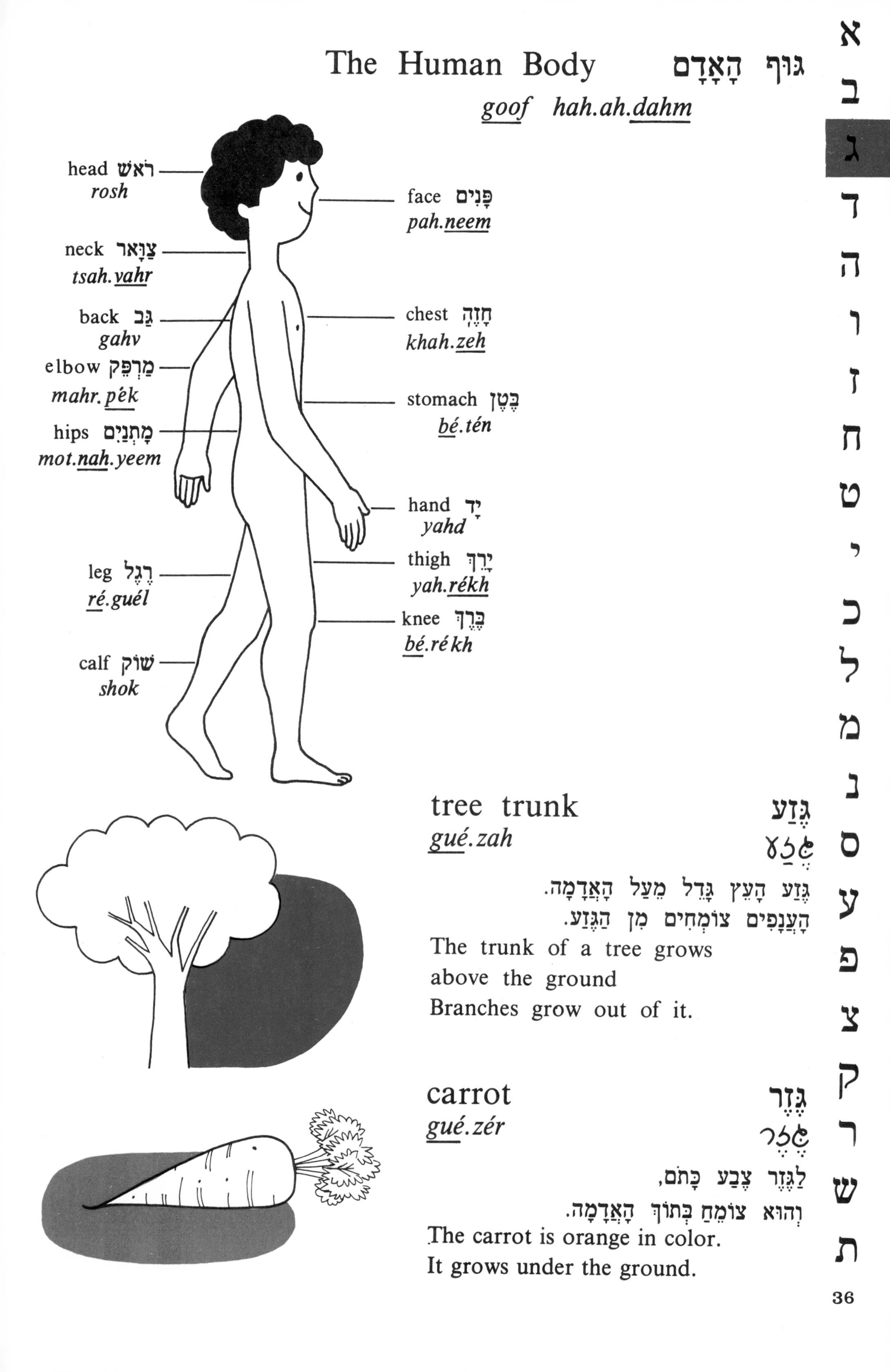

The Human Body גּוּף הָאָדָם

goof hah.ah.dahm

head רֹאשׁ *rosh*

neck צַוָּאר *tsah.vahr*

back גַּב *gahv*

elbow מַרְפֵּק *mahr.pék*

hips מָתְנַיִם *mot.nah.yeem*

leg רֶגֶל *ré.guél*

calf שׁוֹק *shok*

face פָּנִים *pah.neem*

chest חָזֶה *khah.zeh*

stomach בֶּטֶן *bé.tén*

hand יָד *yahd*

thigh יָרֵךְ *yah.rékh*

knee בֶּרֶךְ *bé.rékh*

tree trunk גֶּזַע

gué.zah גֶּזַע

גֶּזַע הָעֵץ גָּדֵל מֵעַל הָאֲדָמָה.
הָעֲנָפִים צוֹמְחִים מִן הַגֶּזַע.

The trunk of a tree grows above the ground
Branches grow out of it.

carrot גֶּזֶר

gué.zér גֶּזֶר

לַגֶּזֶר צֶבַע כָּתֹם,
וְהוּא צוֹמֵחַ בְּתוֹךְ הָאֲדָמָה.

The carrot is orange in color.
It grows under the ground.

א ב ג ד ה ו ז ח ט י כ ל מ נ ס ע פ צ ק ר ש ת

age — גִּיל
gueel — גִּ׳יל

אֲנִי בֶּן שְׁמוֹנֶה.
הַגִּיל שֶׁלִּי הוּא שְׁמוֹנֶה שָׁנִים.

I am eight years old.
My age is eight.

chalk — גִּיר
gueer — גִּ׳יר

אָנוּ כּוֹתְבִים עַל הַלּוּחַ בְּגִיר.

We write on the blackboard
with chalk.

giraffe — ג׳ירָפָה
jee.rah.fah — ג׳ירָפָה

ג׳ירָפָה הִיא בַּעַל־חַיִּים גָּבֹהַּ
בַּעַל צַוָּאר אָרֹךְ.

A giraffe is a tall animal
with a long neck.

wave — גַּל
gahl — גַּל

אַמְנוֹן שָׂחָה בַּיָּם,
וְגַל חָזָק דָּחַף אוֹתוֹ לַחוֹף.

Amnon swam in the sea
and a big wave swept him ashore.

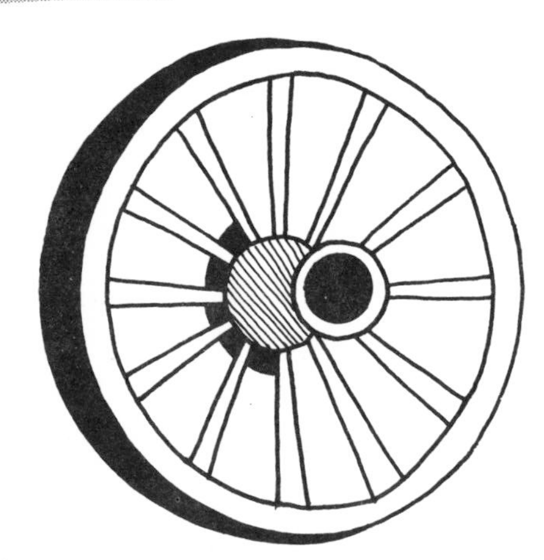

wheel — גַּלְגַּל
gahl.gahl — גַּלְגַּל

הַגַּלְגַּל עָגֹל וּמִתְגַּלְגֵּל.

A wheel is round
and turns around and around.

too — גַּם
gahm

גַּם

אֲנִי תַּלְמִיד כִּתָּה ג׳.
גַּם לִיאוֹר תַּלְמִיד כִּתָּה ג׳.

I am a pupil in the third grade.
Lior is a pupil in third grade, too.

dwarf — גַּמָּד
gah.mahd

גַּמָּד

גַּמָּד הוּא אִישׁ נָמוּךְ מְאֹד.

A dwarf is a very small man.

camel — גָּמָל
gah.mahl

גָּמָל

גָּמָל יָכוֹל לִחְיוֹת זְמַן רַב לְלֹא מַיִם.
יֵשׁ לוֹ דַּבֶּשֶׁת עַל הַגַּב.

A camel can live a long time without water. It has a hump on its back.

garden (park) — גַּן
gahn

גַּן

גַּן הוּא מָקוֹם שֶׁגְּדֵלִים בּוֹ עֵצִים,
פְּרָחִים וָדֶשֶׁא.

A garden is a place where trees, flowers and grass grow.

kindergarden — גַּן־יְלָדִים
gahn-yë.lah.deem

גַּן־יְלָדִים

אָחִי הַקָּטָן לוֹמֵד בְּגַן־יְלָדִים.

My little brother is in kindergarden.

א ב ג ד ה ו ז ח ט י כ ל מ נ ס ע פ צ ק ר ש ת

garden גִּנָּה
guee.nah

גנה

יֵשׁ גִּנָּה שֶׁמְּגַדְּלִים בָּהּ עֵצִים וּפְרָחִים,
וְיֵשׁ גִּנָּה שֶׁמְּגַדְּלִים בָּהּ יְרָקוֹת.

There are gardens
for growing trees and flowers,
and gardens for growing vegetables.

zoo גַּן־חַיּוֹת
gahn-khah.yot

גן־חיות

בְּגַן־חַיּוֹת יֵשׁ אֲרָיוֹת, קוֹפִים,
פִּילִים וְג׳ִירָפוֹת.

In the zoo there are lions,
monkeys, elephants and giraffes.

gardener גַּנָּן
gah.nahn

גנן

הַגַּנָּן שָׁתַל פְּרָחִים בַּגִּנָּה.

The gardener planted flowers
in the garden.

kindergarden teacher גַּנֶּנֶת
gah.né.nét

גננת

הַגַּנֶּנֶת מְלַמֶּדֶת יְלָדִים קְטַנִּים בַּגַּן.

The kindergarden teacher
teaches small children.

scolded גָּעַר
gah.ahr

גער

הַמְּנַהֵל גָּעַר בַּתַּלְמִיד. אִמָּא גָּעֲרָה בְּנָדָב.

The principal scolded the pupil.
Mother scolded Nadav.

vine — גֶּפֶן

gué.fén — גֶּפֶן

עֲנָבִים גְּדֵלִים עַל גֶּפֶן.

Grapes grow on a vine.

match — גַּפְרוּר

gahf.roor — גַּפְרוּר

אָנוּ מַדְלִיקִים אֵשׁ בְּעֶזְרַת גַּפְרוּר.

We light a fire with a match.

live — גָּר

gahr — גָּר

עֹפֶר גָּר בְּבַיִת.

Offer lives in a house.

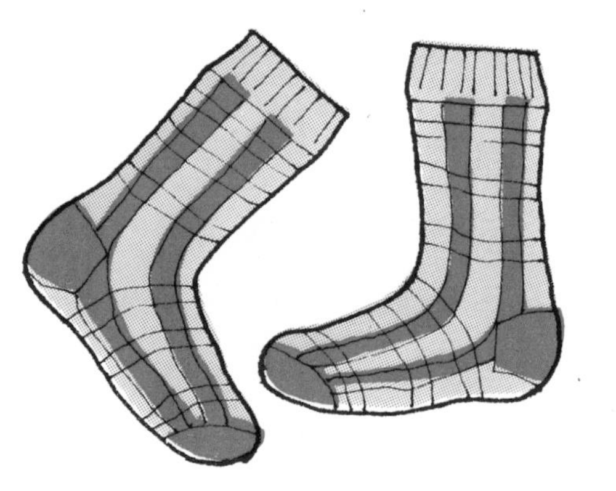

sock — גֶּרֶב

gué.rév — גֶּרֶב

לִפְנֵי שֶׁאֲנִי נוֹעֵל אֶת הַנַּעַל,
אֲנִי גּוֹרֵב אֶת הַגֶּרֶב.

Before I put on my shoes,
I put on my socks.

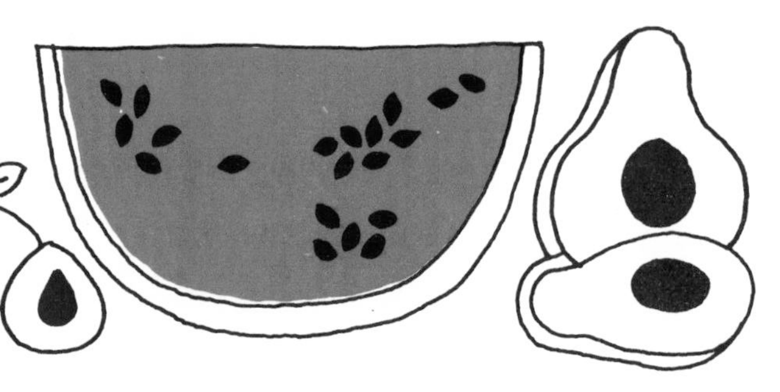

seed — גַּרְעִין

gahr.een — גַּרְעִין

בְּתוֹךְ שָׁזִיף יֵשׁ גַּרְעִין אֶחָד.
בְּתוֹךְ אֲבַטִּיחַ יֵשׁ הַרְבֵּה גַּרְעִינִים.

There is one seed in a plum; there are many seeds in a watermelon.

rain גֶּשֶׁם

gué.shém גֶּשֶׁם

בְּיִשְׂרָאֵל יוֹרֵד גֶּשֶׁם בַּסְּתָו וּבַחֹרֶף.

In Israel, rain falls in the autumn and in winter.

bridge גֶּשֶׁר

gué.shér גֶּשֶׁר

גֶּשֶׁר בּוֹנִים מֵעַל נָהָר אוֹ כְּבִישׁ.

We build a bridge over a river or a road.

was worried דָּאַג

dah.ahg דָּאַג

יוֹסִי דָּאַג לַכֶּלֶב הַחוֹלֶה שֶׁלּוֹ.
רָפִי אֵחַר לָשׁוּב מִבֵּית־הַסֵּפֶר,
וְאִמָּא דָּאֲגָה לוֹ.

Yossi was worried about his sick dog. Rafi was late coming home from school, and Mom was worried about him.

mail דֹּאַר

do.ahr דֹּאַר

סֵמֶל דֹּאַר יִשְׂרָאֵל הוּא צְבִי.

The symbol of Israel's mail service is a deer.

bear דֹּב

dov דֹּב

דֹּב הוּא חַיָּה טוֹרֶפֶת, גְּדוֹלָה וּכְבֵדָה.

A bear is a big, heavy wild animal.

bear-cub — **דֻּבּוֹן**

doo.bon — דֻּבּוֹן

דֻּבּוֹן הוּא דֹּב קָטָן.

A bear-cub is a baby bear.

bee — **דְּבוֹרָה**

d(e)vo.rah — דְּבוֹרָה

דְּבוֹרָה עוֹשָׂה דְּבַשׁ מִן הַצּוּף
אֲשֶׁר בַּפְּרָחִים.

Bees make honey
from the nectar in flowers.

honey — **דְּבַשׁ**

d(e)vahsh — דְּבַשׁ

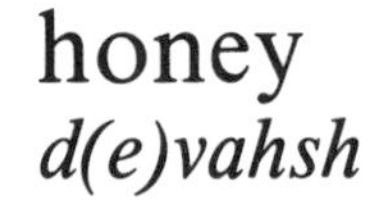

בְּנֵי־אָדָם אוֹכְלִים דְּבַשׁ,
כִּי יֵשׁ לוֹ טַעַם מָתוֹק.

People eat honey
because it has a sweet taste.

fish — **דָּג**

dahg — דָּג

דָּג הוּא בַּעַל־חַיִּים
שֶׁיָּכוֹל לִחְיוֹת רַק בַּמַּיִם.

A fish is an animal
that can live only in water.

flag — **דֶּגֶל**

dé.guél — דֶּגֶל

דֶּגֶל יִשְׂרָאֵל, צִבְעוֹ תְּכֵלֶת־לָבָן.

The color of Israel's flag
is blue and white.

hatched — **דָּגַר**

dah.gahr — דָּגַר

הַצִּפּוֹר דָּגְרָה עַל הַבֵּיצִים בַּקֵּן.
הַצִּפּוֹר הַזָּכָר לֹא דָּגַר.

The mother bird hatched
the eggs in the nest
and the father bird didn't.

hoopoe — **דּוּכִיפַת**

doo.khee.faht — דּוּכִיפַת

דּוּכִיפַת הִיא צִפּוֹר יָפָה.
יֵשׁ לָהּ כֶּתֶר נוֹצוֹת עַל הָרֹאשׁ.

A hoopoe is a pretty bird. It has
a crown of feathers on its head.

look(s) like — **דּוֹמֶה**

do.méh — דּוֹמֶה

רָמִי דּוֹמֶה לְאַבָּא, וְרוּתִי דּוֹמָה לְאִמָּא.

Rami looks like Dad,
and Ruthie looks like Mom.

mailman — **דַּוָּר**

dah.vahr — דַּוָּר

דַּוָּר הוּא הָאִישׁ
שֶׁמֵּבִיא מִכְתָּבִים לַבַּיִת שֶׁלָּנוּ.

The mailman is the man
who brings letters to our house.

scarecrow — **דַּחְלִיל**

dahkh.leel — דַּחְלִיל

בַּגִּנָּה עוֹמֵד דַּחְלִיל מַפְחִיד.
יֵשׁ לוֹ רֹאשׁ מֵעָצִיץ.

There is a scary scarecrow
standing in the garden.
It has a flower pot for its head.

fisherman דַּיָּג

dah.yahg דַּיָּג

הַדַּיָּג דָּג דָּגִים, וּמוֹכֵר אוֹתָם בַּשּׁוּק.

The fisherman catches fish and sells them in the market.

pen דִּיר

deer דִּיר

דִּיר הוּא הַבַּיִת שֶׁל הַצֹּאן.

A pen is a house for sheep.

apartment דִּירָה

dee.rah דִּירָה

דִּירָה הִיא מָקוֹם שֶׁאֲנָשִׁים גָּרִים בּוֹ.

An apartment is a place where people live.

bucket דְּלִי

d(e)lee דְּלִי

אִמָּא מִלְּאָה מַיִם בַּדְּלִי.

Mom filled the bucket with water.

door דֶּלֶת

dé.lét דֶּלֶת

אִמָּא פָּתְחָה אֶת דֶּלֶת הַכְּנִיסָה לַבַּיִת.

Mom opened the front door to the house.

blood דָּם

dahm דָּם

נָזַל לִי דָּם מִן הַפֶּצַע, אֲבָל לֹא בָּכִיתִי.

Blood flowed from my wound
but I didn't cry.

tear דִּמְעָה

deem.ah דִּמְעָה

אֲהוּבָה בָּכְתָה.
דִּמְעָה אַחַת נָפְלָה לָהּ עַל הַלֶּחִי.

Ahuva cried.
One tear fell on her cheek.

page דַּף

dahf דַּף

אֶפְשָׁר לִכְתֹּב עַל הַדַּף מִשְּׁנֵי צְדָדָיו.

We can write on both sides
of the page.

knocked דָּפַק

dah.fahk דָּפַק

הַפּוֹעֵל דָּפַק בַּפַּטִּישׁ עַל הַמַּסְמֵר.
הֲדַס דָּפְקָה בַּדֶּלֶת.

The worker knocked the nail in
with a hammer.
Hadass knocked on the door.

thin דַּק

dahk דַּק

הַחוּט דַּק וְהַחֶבֶל עָבֶה.

The string is thin
and the rope is thick.

palm tree — דֶּקֶל

dé.kél — דֶּקֶל

דֶּקֶל הוּא עֵץ
בַּעַל גֶּזַע יָשָׁר וְאָרֹךְ בְּלִי עֲנָפִים.

A palm tree has a long
straight trunk without branches.

porcupine — דַּרְבָּן

dahr.bahn — דַּרְבָּן

דַּרְבָּן הוּא בַּעַל־חַיִּים
מְכֻסֶּה קוֹצִים אֲרֻכִּים.

A porcupine is an animal
covered with long, sharp quills.

rank — דַּרְגָּה

dahr.gah — דַּרְגָּה

לַקָּצִין בַּצָּבָא יֵשׁ דַּרְגָּה יוֹתֵר גְּבוֹהָה
מֵאֲשֶׁר לַטּוּרָאִי.

The army officer has a higher rank
than the soldier.

sparrow — דְּרוֹר

d(e)ror — דְּרוֹר

הַדְּרוֹר הִיא צִפּוֹר הַחַיָּה קָרוֹב לַאֲנָשִׁים.

A sparrow is a bird
which lives close to people.

road — דֶּרֶךְ

dé.rékh — דֶּרֶךְ

אֲנָשִׁים הוֹלְכִים בַּדֶּרֶךְ מִמָּקוֹם לְמָקוֹם.

People walk along the road
from place to place.

steering wheel — **הֶגֶה**

hé.guéh — הֶגֶה

בְּהֶגֶה מְכַוְּנִים מְכוֹנִית, מָטוֹס אוֹ אֳנִיָּה.

We turn a car, plane or boat with a steering-wheel.

myrtle — **הֲדַס**

hah.dahs — הֲדַס

הֲדַס הוּא אֶחָד מֵאַרְבַּעַת הַמִּינִים שֶׁמְּבָרְכִים עֲלֵיהֶם בְּחַג הַסֻּכּוֹת.

Myrtle is one of the "four kinds of trees" we use for the Succot blessing.

citrus — **הָדָר**

hah.dahr — הָדָר

תַּפּוּחַ־זָהָב, אֶשְׁכּוֹלִית וְלִימוֹן הֵם פְּרִי־הָדָר.

Orange, grapefruit and lemon are citrus fruits.

parents — **הוֹרִים**

ho.reem — הוֹרִים

אַבָּא וְאִמָּא שֶׁלִּי הֵם הַהוֹרִים שֶׁלִּי.

My father and my mother are my parents.

was — **הָיָה**

hah.yah — הָיָה

יוֹאָב תַּלְמִיד כִּתָּה א׳.
בַּשָּׁנָה שֶׁעָבְרָה הוּא הָיָה בַּגַּן.

Yoav is a pupil in the first grade. Last year he was in kindergarden.

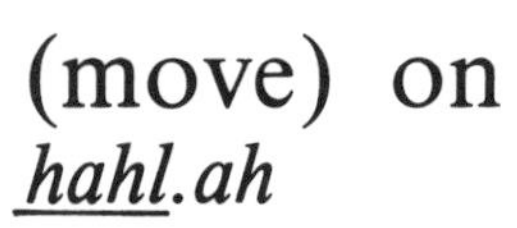

(move) on **הָלְאָה**

hahl.ah הָלְאָה

שׁוֹטֶרֶת הַתְּנוּעָה אָמְרָה לַנֶּהָג:
"סַע הָלְאָה, בְּבַקָּשָׁה!"

The traffic policewoman said to the driver, "Move on, please!"

went **הָלַךְ**

hah.lahkh הָלַךְ

מֹשֶׁה הָלַךְ לַחֲנוּת לִקְנוֹת לֶחֶם.

Moshe went to the store to buy bread.

hush! **הַס**

hahs הַס

הַמּוֹרָה אָמְרָה: "הַס, יְלָדִים, שֶׁקֶט!"

The teacher said, "Hush, be quiet, children!"

sailed out **הִפְלִיג**

heef.leeg הִפְלִיג

רַב־הַחוֹבֵל הִפְלִיג בָּאֳנִיָּה
בְּשָׁעָה 8.00 בַּבֹּקֶר.

The captain sailed out on the ship at eight o'clock in the morning.

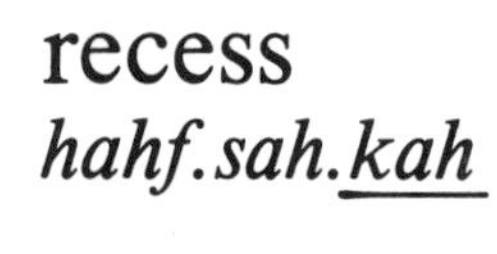

recess **הַפְסָקָה**

hahf.sah.kah הַפְסָקָה

בִּזְמַן הַהַפְסָקָה בְּבֵית־הַסֵּפֶר
אָנוּ מְשַׂחֲקִים בֶּחָצֵר.

During recess at school, we have games in the playground.

א
ב
ג
ד
ה
ו
ז
ח
ט
י
כ
ל
מ
נ
ס
ע
פ
צ
ק
ר
ש
ת

surprise — **הַפְתָּעָה**

hahf.tah.ah — הַפְתָּעָה

אִמָּא הֵבִיאָה הַפְתָּעָה בְּקֻפְסָה.

Mom brought a surprise in a box.

show — **הַצָּגָה**

hah.tsah.gah — הַצָּגָה

בְּפוּרִים הִצִּיגוּ הַיְלָדִים הַצָּגָה
מִתּוֹךְ "מְגִלַּת אֶסְתֵּר".

At Purim, the children put on
a show from the Scroll of Esther.

mountain — **הַר**

hahr — הַר

חֵיפָה נִמְצֵאת עַל הַר הַכַּרְמֶל.

The city of Haifa is
on Mount Carmel.

many — **הַרְבֵּה**

hahr.béh — הַרְבֵּה

בַּיָּם יֵשׁ הַרְבֵּה דָּגִים.

There are many fish in the sea.

was surprised — **הִתְפַּלֵּא**

heet.pah.lé — הִתְפַּלֵּא

כְּשֶׁחָזַר יָאִיר מִבֵּית־הַסֵּפֶר הוּא הִתְפַּלֵּא
לִמְצֹא אֶת אַבָּא בַּבַּיִת.

When Yair came home from
school, he was surprised
to find Dad at home.

and — וְ...

vë — וְ

משֶׁה וְיַעֲקֹב אַחִים.
גַּבִּי וְאָמִיר אֵינָם אַחִים.

Moshe and Jacob are brothers.
Gabi and Amir aren't brothers.

hook — וָו

vahv — וָו

אָנוּ תּוֹלִים עַל וָו בְּגָדִים
אוֹ חֲפָצִים אֲחֵרִים.

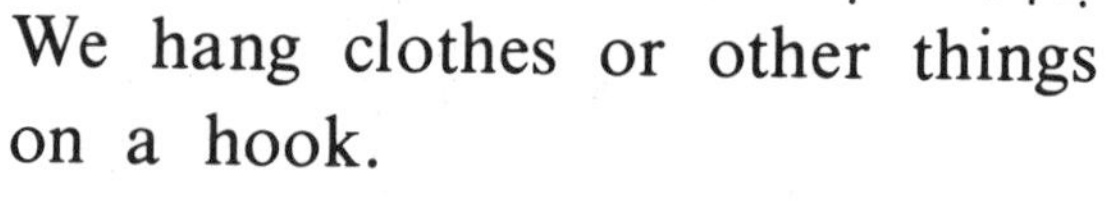

We hang clothes or other things
on a hook.

curtain — וִילוֹן

vee.lon — וִילוֹן

וִילוֹן תּוֹלִים עַל הַחַלּוֹן לְקִשּׁוּט.

We hang a curtain on a window
to make it look nice.

rose — וֶרֶד

vé.réd — וֶרֶד

וֶרֶד הוּא פֶּרַח צִבְעוֹנִי
שֶׁיֵּשׁ לוֹ רֵיחַ נָעִים.

A rose is a colorful flower
that has a lovely smell.

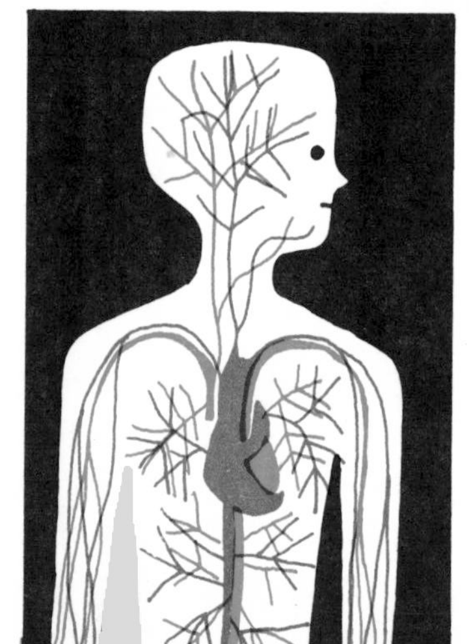

vein — וָרִיד

vah.reed — וָרִיד

וָרִיד הוּא צִנּוֹר דָּם בַּגּוּף.

A vein is a blood vessel
in the body.

א ב ג ד ה ו ז ח ט י כ ל מ נ ס ע פ צ ק ר ש ת

wolf **זְאֵב**
zë.év זְאֵב

זְאֵב הוּא בַּעַל־חַיִּים טוֹרֵף.
A wolf is a wild animal.

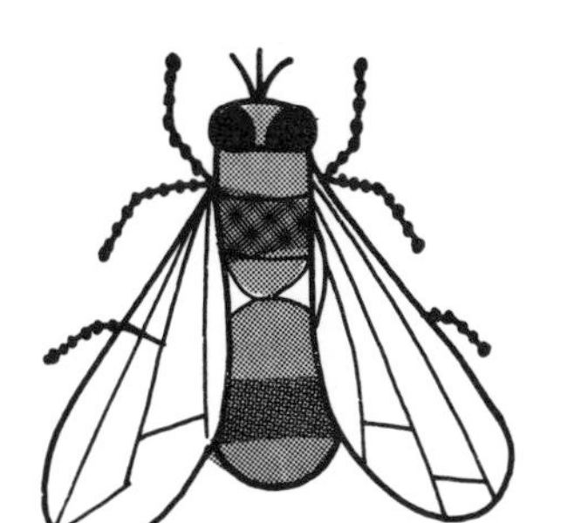

fly **זְבוּב**
z(e)voov זְבוּב

זְבוּב הוּא חֶרֶק שֶׁעָף בָּאֲוִיר וּמְזַמְזֵם.
A fly is an insect that flies in the air and buzzes.

zebra **זֶבְּרָה**
zéb.rah זֶבְּרָה

לַזֶּבְּרָה יֵשׁ פַּסִּים עַל הַגּוּף.
A zebra has stripes on its body.

glazier **זַגָּג**
zah.gahg זַגָּג

הַזַּגָּג שָׂם שִׁמְשַׁת זְכוּכִית בַּחַלּוֹן.
The glazier is putting a glass pane into a window.

Opposites זֶה לְעֻמַּת זֶה

zéh lë.oo.maht zéh

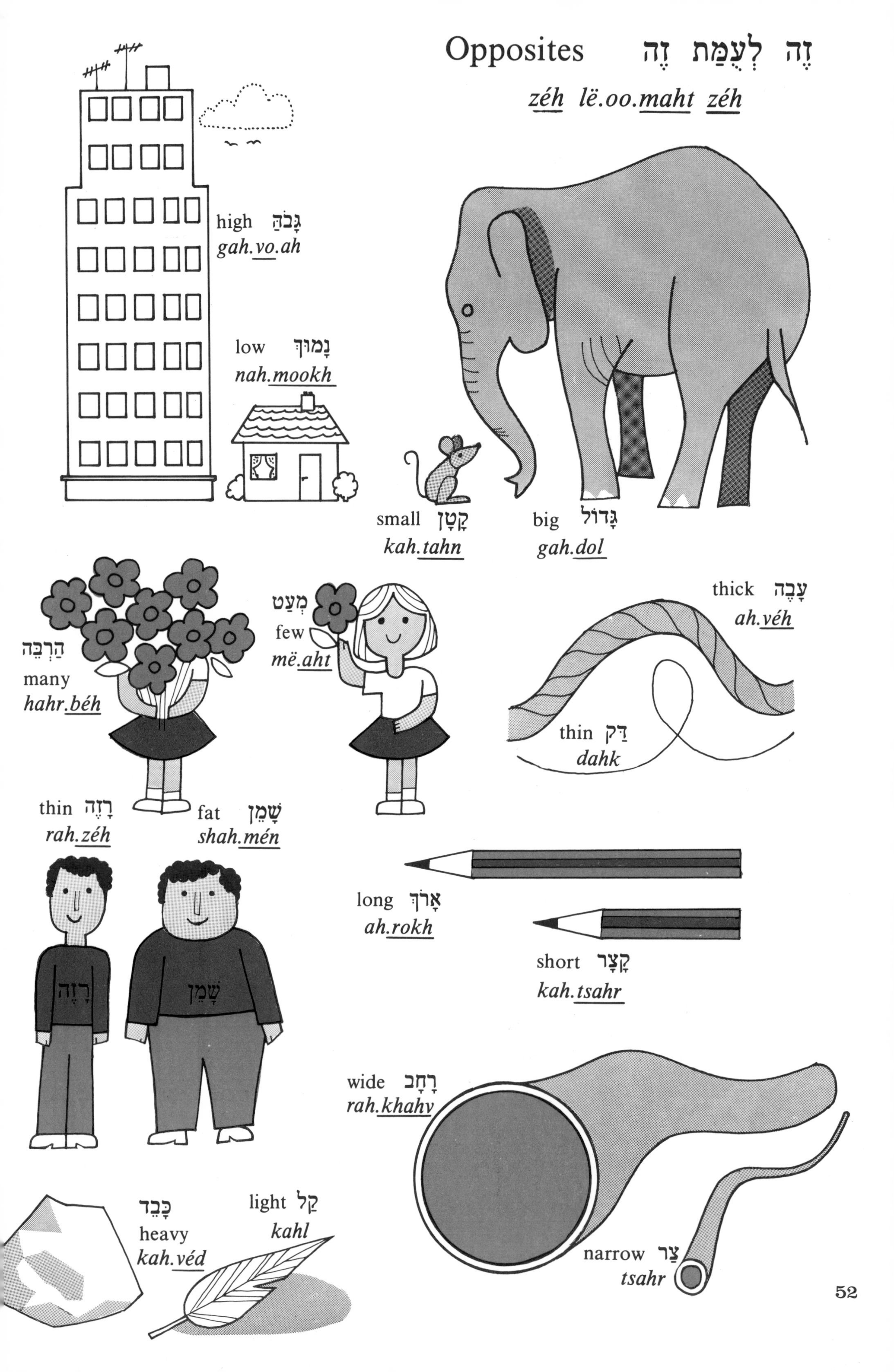

pair — **זוּג**

zoog — זוּג

שְׁנַיִם שֶׁנִּמְצָאִים בְּיַחַד: זוּג נַעֲלַיִם וְזוּג גַּרְבַּיִם.

Two that go together: a pair of shoes and a pair of socks.

caterpillar — **זַחַל**

zah.khahl — זַחַל

זַחַל יוֹצֵא מִבֵּיצָה שֶׁל פַּרְפָּר.

A caterpillar comes out of a butterfly's egg.

crawled — **זָחַל**

zah.khahl — זָחַל

הַנָּחָשׁ זָחַל עַל הַחוֹל וְנֶעֱלַם.

The snake crawled on the sand and vanished.

olive tree — **זַיִת**

zah.yeet — זַיִת

הַזֵּיתִים גְּדֵלִים עַל עֵץ זַיִת.

Olives grow on an olive tree.

glass — **זְכוּכִית**

z(e)khoo.kheet — זְכוּכִית

זְכוּכִית הִיא חֹמֶר שָׁקוּף וְשָׁבִיר.

Glass is a material you can see through. It breaks easily.

remembered — זָכַר

zah.khahr — זָכַר

עֵינַת זָכְרָה לִקְנוֹת אֶת כָּל הַדְּבָרִים.
הַזַּמָּר זָכַר אֶת כָּל הַמִּלִּים שֶׁל הַשִּׁיר.

Ainat remembered to buy everything. The singer remembered all the words of the song.

overate — זָלַל

zah.lahl — זָלַל

אָחִי זָלַל אֶת כָּל הַמַּמְתַּקִּים שֶׁבַּבַּיִת.

My brother ate up all the sweets in the house. He overate.

singer — זַמָּר

zah.mahr — זַמָּר

אָמִיר שָׁר יָפֶה, מַמָּשׁ כְּמוֹ זַמָּר.

Amir sang beautifully — just like a singer.

tail — זָנָב

zah.nahv — זָנָב

הַכֶּלֶב מְכַשְׁכֵּשׁ בַּזָּנָב כְּשֶׁהוּא שָׂמֵחַ.

A dog wags its tail when it's happy.

straight (up) — זָקוּף

zah.koof — זָקוּף

עֲמֹד זָקוּף! גַּב זָקוּף בָּרִיא לַגּוּף.

Stand straight! A straight back is good for your body.

chameleon **זִקִּית**

zee.keet זִקִּית

הַזִּקִּית יְכוֹלָה לְשַׁנּוֹת אֶת צֶבַע הַגּוּף שֶׁלָּהּ.

A chameleon can change the color of its body.

beard **זָקָן**

zah.kahn זָקָן

אָחִי אֵינוֹ מִתְגַּלֵּחַ; הוּא מְגַדֵּל זָקָן.

My brother doesn't shave;
he is growing a beard.

old man **זָקֵן**

zah.kén זָקֵן

סַבָּא שֶׁלִּי הוּא אִישׁ זָקֵן
בֶּן שִׁבְעִים וְחָמֵשׁ.

My grandfather is an old man:
he is 75 years old.

bunch of flowers **זֵר**

zér זֵר

בְּ״יוֹם הָאֵם״ נָתְנָה רוּתִי לְאִמָּא
זֵר פְּרָחִים.

On Mother's Day, Ruthie
gave Mom a bunch of flowers.

starling **זַרְזִיר**

zahr.zeer זַרְזִיר

גּוּף הַזַּרְזִיר מְכֻסֶּה נוֹצוֹת שְׁחוֹרוֹת.
עַל הַנּוֹצוֹת יֵשׁ כְּתָמִים לְבָנִים.

The body of a starling is covered
with black feathers.
On the feathers there are white spots.

injection — **זְרִיקָה**

z(e)ree.kah

זְרִיקָה

אוּרִי הָיָה חוֹלֶה וְהָאָחוֹת נָתְנָה לוֹ זְרִיקָה.

Uri was sick and the nurse gave him an injection.

flowed — **זָרַם**

zah.rahm

זָרַם

פָּתַחְתִּי אֶת הַבֶּרֶז וְהַמַּיִם זָרְמוּ.

I opened the faucet and the water flowed out.

sowed — **זָרַע**

zah.rah

זָרַע

הָאִכָּר זָרַע חִטָּה בַּשָּׂדֶה.

The farmer sowed wheat in the field.

package — **חֲבִילָה**

khah.vee.lah

חֲבִילָה

בְּבֵית־הַדֹּאַר רָאִיתִי חֲבִילָה עֲטוּפָה בִּנְיָר.

At the post office I saw a package wrapped in paper.

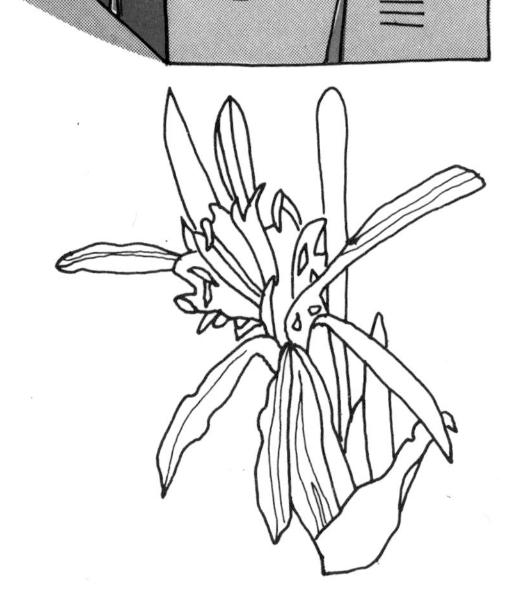

wild sea-lily — **חֲבַצֶּלֶת־הַחוֹף**

khah.vah.tsé.lét-hah.khof

חֲבַצֶּלֶת־ הַחוֹף

חֲבַצֶּלֶת־הַחוֹף פּוֹרַחַת בַּסְּתָו.

The wild sea-lily blooms in the autumn.

friend — **חָבֵר**
khah.vér — חָבֵר

גִּדְעוֹן חָבֵר שֶׁלִּי.
אֲנִי אוֹהֵב לְשַׂחֵק אִתּוֹ.

Gideon is my friend.
I like to play with him.

holiday — **חַג**
khahg — חַג

חַג הוּא יוֹם טוֹב, יוֹם שִׂמְחָה.

A holiday is a good day,
a happy day.

Harvest Feast — **חַג הָאָסִיף**
khahg hah.ah.seef — חַג הָאָסִיף

חַג הָאָסִיף הוּא שֵׁם אַחֵר לְחַג הַסֻּכּוֹת.

"The Harvest Feast" is
another name for Succot.

celebration — **חֲגִיגָה**
khah.guee.gah — חֲגִיגָה

בַּחֲגִיגַת הַחֲנֻכָּה שַׁרְנוּ, רָקַדְנוּ וְאָכַלְנוּ.

At the Hanukah celebration
we sang, danced and ate.

sharpened — **חִדֵּד**
khee.déd — חִדֵּד

אַלּוֹן חִדֵּד אֶת הָעִפָּרוֹן בִּמְחַדֵּד.

Alon sharpened the pencil
with a pencil-sharpener.

room **חֶדֶר**
khé.dér חֶדֶר

חֶדֶר נִמְצָא בְּתוֹךְ בַּיִת.
לַחֶדֶר יֵשׁ קִירוֹת מִכָּל הַצְּדָדִים.

A room is part of a house.
A room has walls on each side.

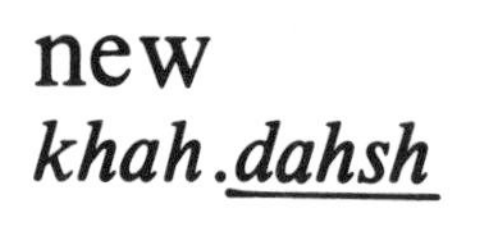

new **חָדָשׁ**
khah.dahsh חָדָשׁ

אִמָּא קָנְתָה לְיָדִין אוֹטוֹ חָדָשׁ.
Mom bought Yadin a new toy car.

month **חֹדֶשׁ**
kho.désh חֹדֶשׁ

בְּחֹדֶשׁ יֵשׁ אַרְבָּעָה שָׁבוּעוֹת.
בְּשָׁנָה יֵשׁ שְׁנֵים-עָשָׂר חֳדָשִׁים.
There are four weeks in a month.
There are twelve months in a year.

finch **חוֹחִית**
kho.kheet חוֹחִית

חוֹחִית הִיא צִפּוֹר קְטַנָּה,
בַּעֲלַת צְבָעִים רַבִּים.
A finch is a small bird.
It has many colors.

sand **חוֹל**
khol חוֹל

חוֹל נִמְצָא בִּשְׂפַת-הַיָּם וּבַמִּדְבָּר.
We find sand at the sea-shore
and in the desert.

sick — **חוֹלֶה**

kho.léh

חוֹלֶה

כְּשֶׁאֲנִי חוֹלֶה, אֲנִי שׁוֹכֵב בַּמִּטָּה.

When I am sick I stay in bed

strong — **חָזָק**

khah.zahk

חָזָק

הַסַּבָּל הוּא אִישׁ חָזָק.

The porter is a strong man.

returned — **חָזַר**

khah.zahr

חָזַר

נִיר שָׁכַח סֵפֶר בַּכִּתָּה.
הוּא חָזַר לָקַחַת אוֹתוֹ.

Nir forgot a book in the classroom. He returned to get it.

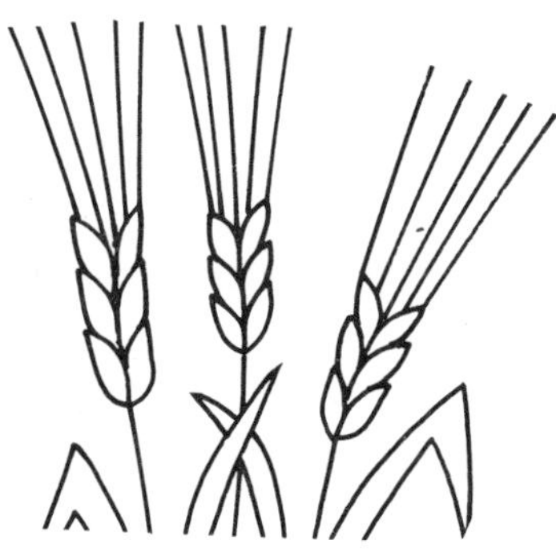

wheat — **חִטָּה**

khee.tah

חִטָּה

גַּרְעִינֵי חִטָּה טוֹחֲנִים לְקֶמַח.

Wheat seeds are ground into flour.

riddle — **חִידָה**

khee.dah

חִידָה

Yossi asks a riddle: "What is not an airplane but flies in the sky, not a river, but full of water? Who can guess the answer?"
"I can! It's a cloud!"

יוֹסִי שׁוֹאֵל חִידָה:
לֹא אֲוִירוֹן — וְעָף בַּשָּׁמַיִם
לֹא נָהָר — וּמָלֵא מַיִם.
מִי מְנַחֵשׁ אֶת הַתְּשׁוּבָה?
אֲנִי!... עָנָן.

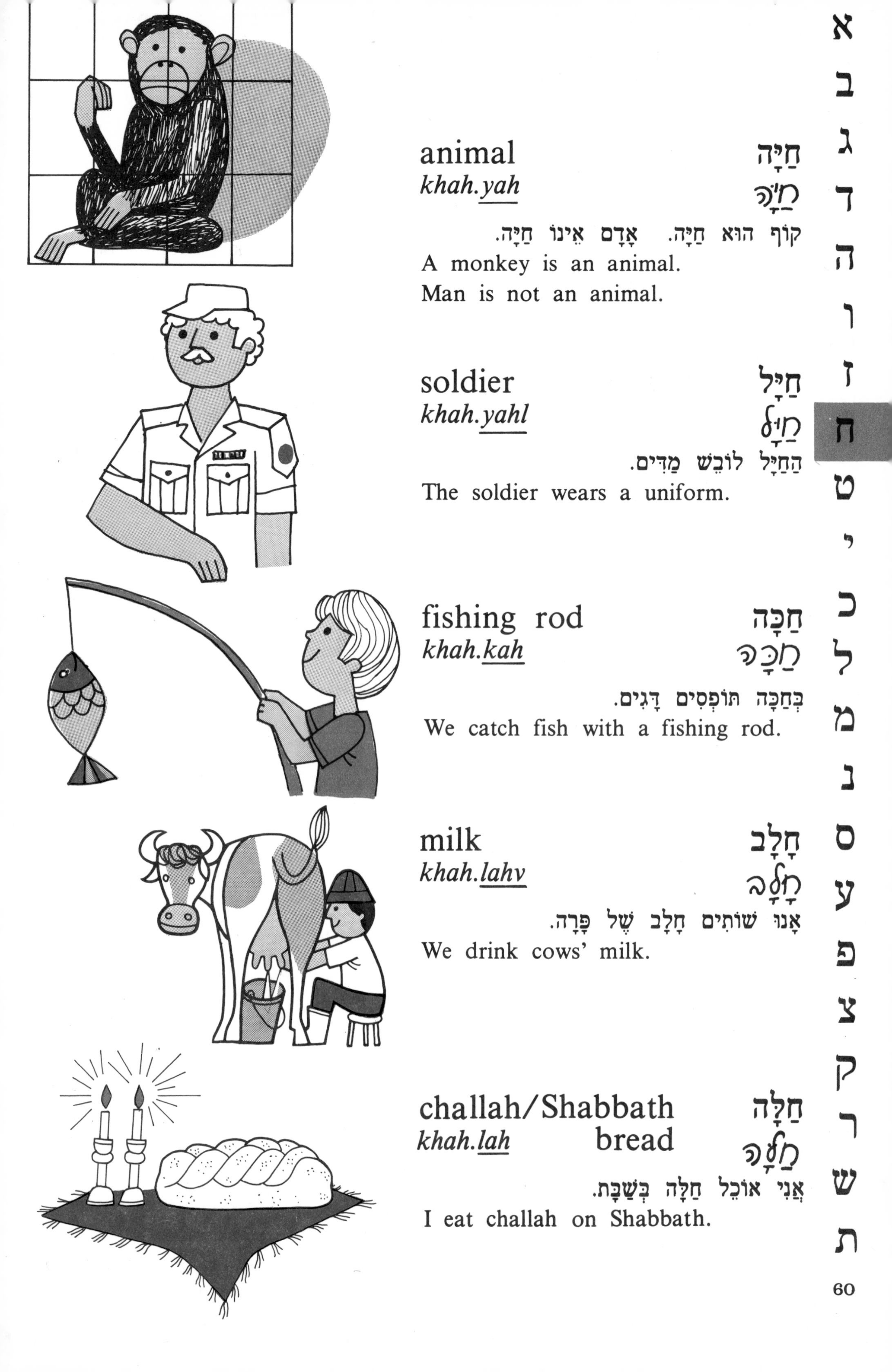

animal חַיָּה
khah.yah חַיָּה

קוֹף הוּא חַיָּה. אָדָם אֵינוֹ חַיָּה.
A monkey is an animal.
Man is not an animal.

soldier חַיָּל
khah.yahl חַיָּל

הַחַיָּל לוֹבֵשׁ מַדִּים.
The soldier wears a uniform.

fishing rod חַכָּה
khah.kah חַכָּה

בְּחַכָּה תּוֹפְסִים דָּגִים.
We catch fish with a fishing rod.

milk חָלָב
khah.lahv חָלָב

אָנוּ שׁוֹתִים חָלָב שֶׁל פָּרָה.
We drink cows' milk.

challah/Shabbath bread חַלָּה
khah.lah חַלָּה

אֲנִי אוֹכֵל חַלָּה בְּשַׁבָּת.
I eat challah on Shabbath.

Holidays חַגִּים

khah.gueem

Succot סֻכּוֹת

soo.kot

Yom Kippur יוֹם־כִּפּוּר

yom-kee.poor

New Year's Day רֹאשׁ־הַשָּׁנָה

rosh-hah.shah.nah

Tu B'Shvat טוּ בִּשְׁבָט

too bee.sh(e)vaht

Hanukah חֲנֻכָּה

khah.noo.kah

Simhat Torah שִׂמְחַת־תּוֹרָה

seem.khaht-to.rah

Independence Day יוֹם־הָעַצְמָאוּת

yom-hah.ahts.mah.oot

Passover פֶּסַח

pé.sahkh

Purim פּוּרִים

poo.reem

Shavuot שָׁבוּעוֹת

shah.voo.ot

Lag B'Omer לַג בָּעֹמֶר

lahg bah.o.mér

dream **חֲלוֹם**

khah.lom

חֲלוֹם

אִיתָמָר חָלַם חֲלוֹם יָפֶה.

Itamar had a lovely dream.

window **חַלּוֹן**

khah.lon

חַלּוֹן

אִמָּא פָּתְחָה אֶת הַחַלּוֹן.

Mom opened the window.

snail **חִלָּזוֹן**

khee.lah.zon

חִלָּזוֹן

חִלָּזוֹן הוּא בַּעַל־חַיִּים קָטָן, הַזּוֹחֵל
עַל הָאֲדָמָה וְנוֹשֵׂא אֶת בֵּיתוֹ עַל הַגַּב.

A snail is a little animal
which crawls on the ground
and carries its house on its back.

recorder **חֲלִילִית**

khah.lee.leet

חֲלִילִית

חֲלִילִית הִיא כְּלִי נְגִינָה עָשׂוּי מֵעֵץ
אוֹ מֵחֹמֶר פְּלַסְטִי.

A recorder is a musical instrument
made of wood or plastic.

spacecraft **חֲלָלִית**

khah.lah.leet

חֲלָלִית

הַחֲלָלִית טָסָה בֶּחָלָל.

The spacecraft flies in space.

smooth חָלָק

khah.lahk חָלָק

לְרוּתִי יֵשׁ שֵׂעָר חָלָק, לֹא מְתֻלְתָּל.

Ruthie's hair grows straight and smooth; it is not curly.

part of... חֵלֶק מ...

khé.lék m(e)... חֵלֶק מ...

אָכַלְתִּי רַק חֵלֶק מֵהָעוּגָה,
וְאֶת מַה שֶׁנִּשְׁאַר נָתַתִּי לְאִמָּא.

I ate only part of the cake.
I gave the rest to mother.

weak חַלָּשׁ

khah.lahsh חַלָּשׁ

יוֹסִי יוֹתֵר חַלָּשׁ מִמֶּנִּי. אֲנִי מְנַצֵּחַ אוֹתוֹ.

Yossi is weaker than I am.
I can beat him.

hot חַם

khahm חַם

בַּקַּיִץ חַם וּבַחֹרֶף קַר.

In the summer it's hot
and in the winter it's cold.

butter חֶמְאָה

khém.ah חֶמְאָה

חֶמְאָה הִיא מָזוֹן שֶׁעוֹשִׂים מֵחָלָב.

Butter is a food made from milk.

Months of the Year *khod.shey hah.shah.nah* חָדְשֵׁי הַשָּׁנָה

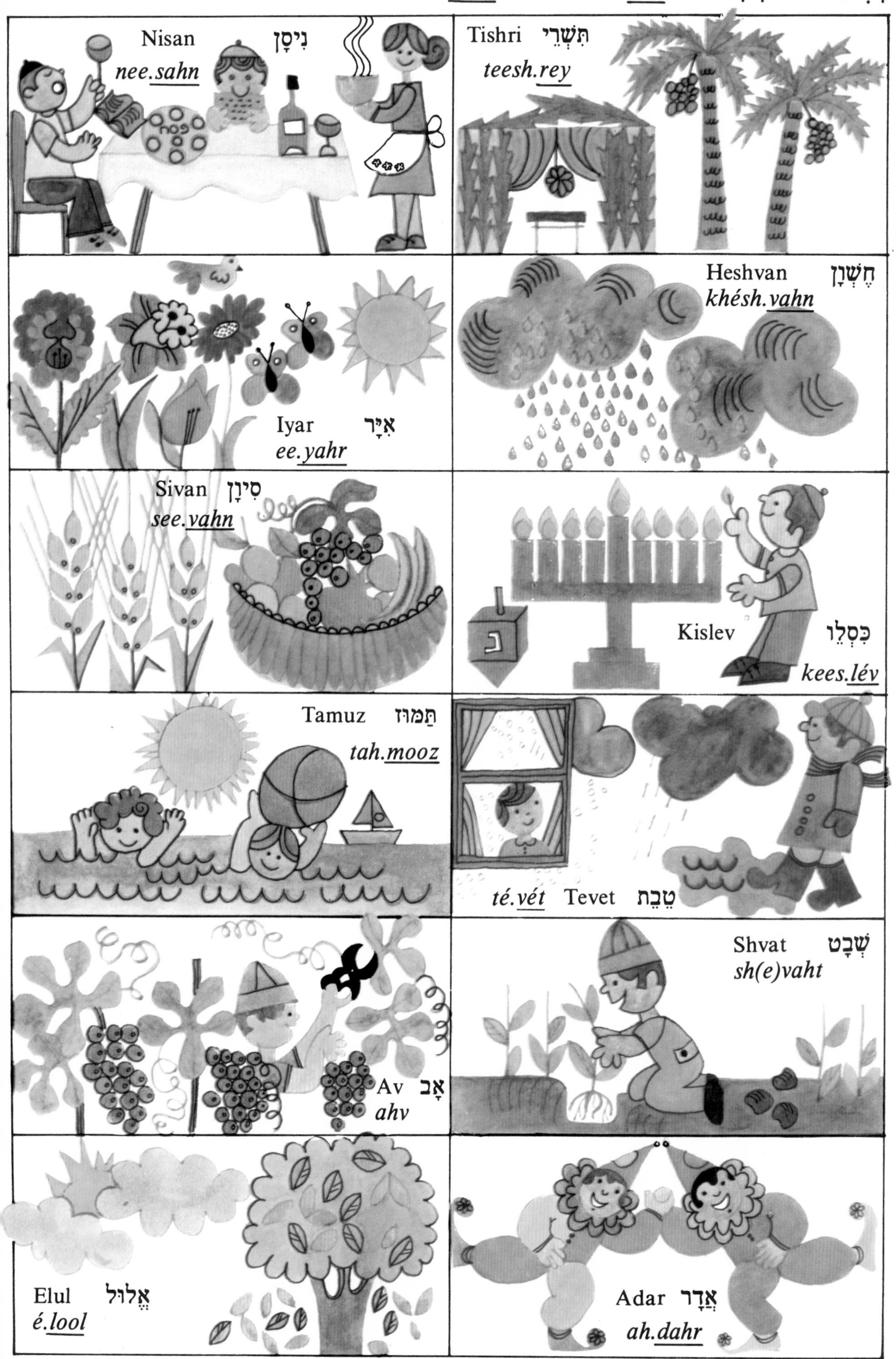

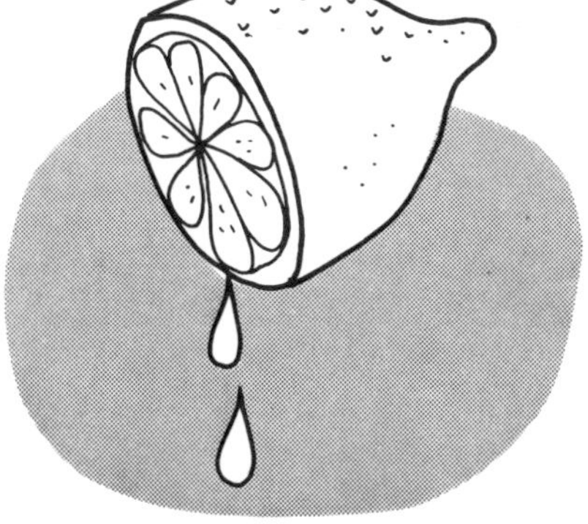

sour — **חָמוּץ**

khah.moots

חָמוּץ

לַלִּימוֹן יֵשׁ טַעַם חָמוּץ.

A lemon has a sour taste.

donkey — **חֲמוֹר**

khah.mor

חֲמוֹר

לַחֲמוֹר יֵשׁ אָזְנַיִם אֲרֻכּוֹת.

A donkey has long ears.

sunflower — **חַמָּנִית**

khah.mah.neet

חַמָּנִית

חַמָּנִית הִיא פֶּרַח צָהֹב גָּדוֹל.
יֵשׁ בָּהּ גַּרְעִינִים שְׁחוֹרִים רַבִּים.

A sunflower is a big yellow flower with many black seeds.

parked — **חָנָה**

khah.nah

חָנָה

הָאוֹטוֹבּוּס חָנָה בְּמִגְרַשׁ חֲנָיָה.

The bus was parked in a parking lot.

store — **חֲנוּת**

khah.noot

חֲנוּת

אִמָּא שָׁלְחָה אוֹתִי לַחֲנוּת הַמַּכֹּלֶת
לִקְנוֹת לֶחֶם וְחָלָב.

Mom sent me to the grocery store to buy bread and milk.

Hanukah חֲנֻכָּה
khah.noo.kah חֲנֻכָּה

בַּחֲנֻכָּה מַדְלִיקִים חֲנֻכִּיָּה
וּמְשַׂחֲקִים בִּסְבִיבוֹן.

At Hanukah, we light a menorah
and we play with a dreidle.

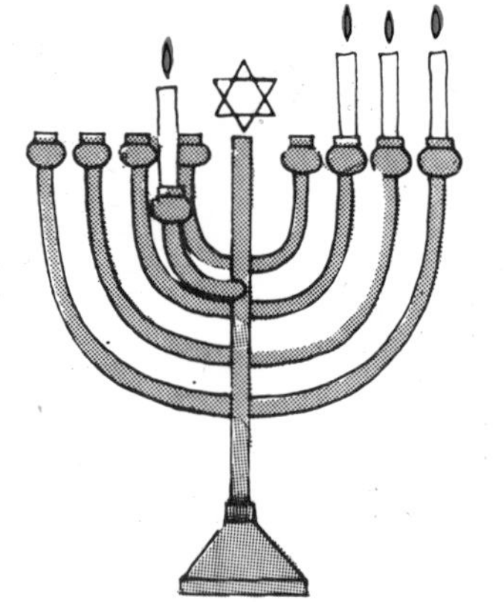

Hanukah menorah חֲנֻכִּיָּה
khah.noo.kee.yah חֲנֻכִּיָּה

בַּיּוֹם הַשְּׁמִינִי שֶׁל חֲנֻכָּה
מַדְלִיקִים בַּחֲנֻכִּיָּה שְׁמוֹנֶה נֵרוֹת וְשַׁמָּשׁ.

On the eighth day of Hanukah
we light all eight candles
in the menorah and the shamash.

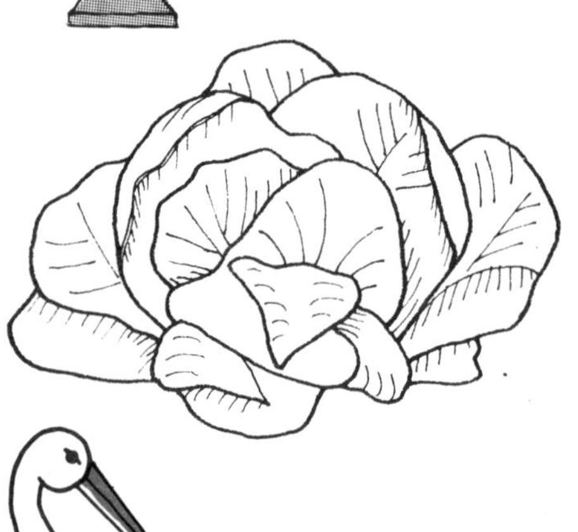

lettuce חַסָּה
khah.sah חַסָּה

צֶבַע הַחַסָּה יָרֹק.
אֲנַחְנוּ אוֹכְלִים סָלָט חַסָּה.

Lettuce is green.
We eat lettuce salad.

stork חֲסִידָה
khah.see.dah חֲסִידָה

לַחֲסִידָה יֵשׁ רַגְלַיִם גְּבוֹהוֹת וּמַקּוֹר אָרֹךְ.

A stork has long legs
and a long bill.

squill חָצָב
khah.tsahv חָצָב

הֶחָצָב גָּדֵל בַּשָּׂדֶה וּפוֹרֵחַ בַּסְּתָו.

The squill grows in the field
and blooms in the autumn.

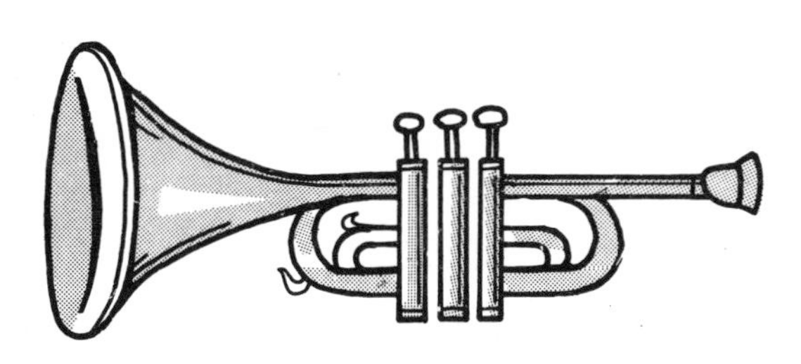

trumpet חֲצוֹצְרָה

khah.tso.ts(e)rah חֲצוֹצְרָה

חֲצוֹצְרָה הִיא כְּלִי נְגִינָה מִמַּתֶּכֶת.

A trumpet is a musical instrument made of brass.

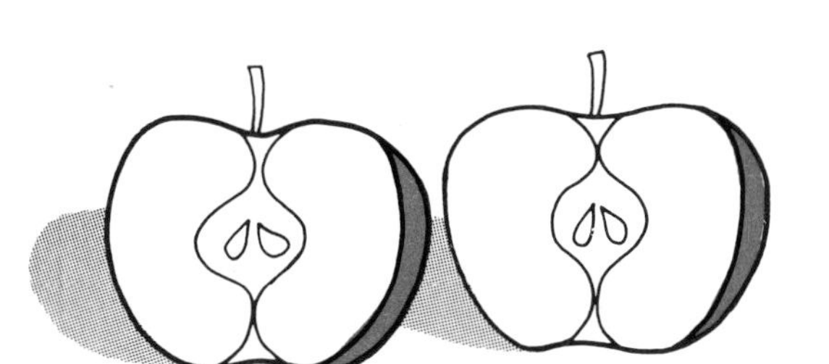

half חֲצִי

khah.tsee חֲצִי

אִמָּא נָתְנָה חֲצִי תַּפּוּחַ לְגִיל,
וַחֲצִי תַּפּוּחַ — לְאֵהוּד.

Mom gave half an apple to Gil and the other half to Ehud.

eggplant חָצִיל

khah.tseel חָצִיל

צֶבַע הַקְּלִפָּה שֶׁל הֶחָצִיל הוּא
סָגֹל־שָׁחוֹר.

The skin of an eggplant is dark purple.

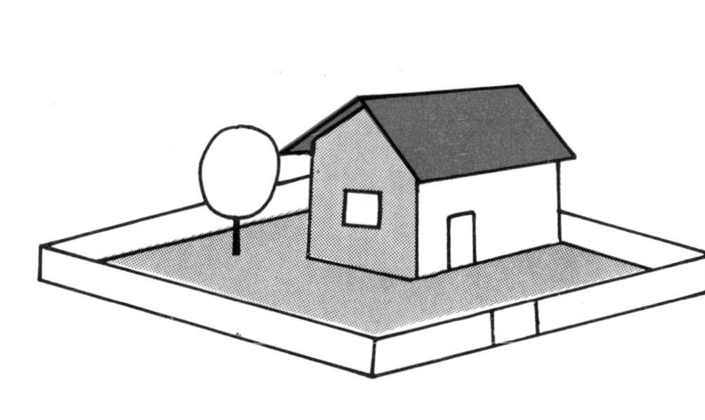

yard חָצֵר

khah.tsér חָצֵר

אָסָף מְשַׂחֵק בֶּחָצֵר.
אָסוּר לוֹ לָצֵאת לַכְּבִישׁ.

Asaf plays in the yard.
He is not allowed to go into the street.

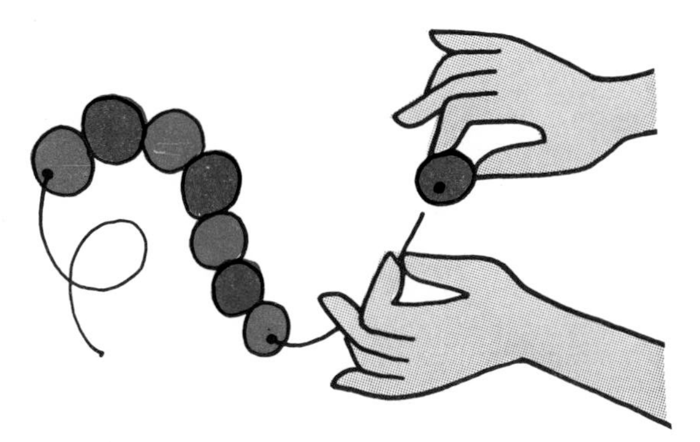

bead חָרוּז

khah.rooz חָרוּז

אִמָּא עוֹנֶדֶת חֲרוּזִים.
בְּכָל חָרוּז יֵשׁ חוֹר.

Mom is wearing a string of beads.
There is a hole in every bead.

spicy — **חָרִיף**

khah.reef — חָרִיף

פִּלְפֵּל מוֹסִיף לָאֹכֶל טַעַם חָרִיף.

Pepper gives food a hot, spicy taste.

winter — **חֹרֶף**

kho.réf — חֹרֶף

בְּיִשְׂרָאֵל יוֹרְדִים גְּשָׁמִים בַּחֹרֶף.

In Israel there is rain in winter.

ploughed — **חָרַשׁ**

khah.rahsh — חָרַשׁ

הָאִכָּר חָרַשׁ בְּטְרַקְטוֹר אֶת הָאֲדָמָה הַקָּשָׁה.

The farmer ploughed up the hard soil with a tractor.

grove — **חֻרְשָׁה**

khor.shah — חֻרְשָׁה

הַחֻרְשָׁה הִיא כְּמוֹ יַעַר קָטָן.

A grove is like a small forest.

darkness — **חֹשֶׁךְ**

kho.shékh — חֹשֶׁךְ

אֵין אָנוּ רוֹאִים בַּלַּיְלָה בִּגְלַל הַחֹשֶׁךְ.

We cannot see at night because of the darkness.

cat חָתוּל

khah.tool חָתוּל

הֶחָתוּל מְטַפֵּס בִּזְרִיזוּת וְקוֹפֵץ מִגֹּבַהּ רַב.
A cat climbs easily and jumps off high places.

cut חָתַךְ

khah.tahkh חָתַךְ

אַבָּא חָתַךְ אֶת הָאֲבַטִּיחַ לְמָנוֹת.
Dad cut the watermelon into slices.

cook טַבָּח

tah.bahkh טַבָּח

בַּמִּטְבָּח שֶׁל הַמִּסְעָדָה
מְבַשֵּׁל יִצְחָק הַטַּבָּח.
In the kitchen of the restaurant, Yitskhak the cook is preparing the food.

drowned טָבַע

tah.vah טָבַע

אִישׁ אֶחָד כִּמְעַט טָבַע בַּיָּם,
אֲבָל הַמַּצִּיל הִצְלִיחַ לְהַצִּיל אוֹתוֹ.
A man almost drowned in the sea, but the lifeguard was able to save him.

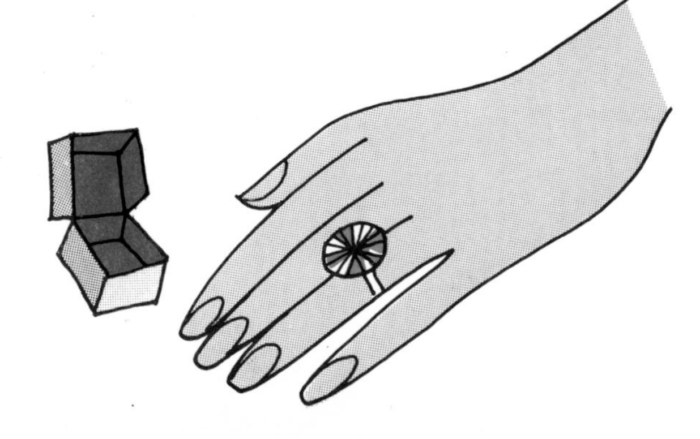

ring טַבַּעַת

tah.bah.aht טַבַּעַת

לְאִמָּא יֵשׁ טַבַּעַת זָהָב.
Mom has a gold ring.

Tu B'Shvat טוּ בִּשְׁבָט

too bee.sh(e)vaht טוּ בִּשְׁבָט

בְּטוּ בִּשְׁבָט נוֹטְעִים הַיְלָדִים עֵצִים.

The children plant trees
on Tu B'Shvat

good טוֹב

tov טוֹב

עָזַרְתִּי לְאִמָּא, וְהִיא אָמְרָה
שֶׁאֲנִי יֶלֶד טוֹב.

I helped Mom;
she said I am a good boy.

peacock טַוָּס

tah.vahs טַוָּס

לַטַּוָּס יֵשׁ נוֹצוֹת יָפוֹת.

A peacock has beautiful feathers.

trip טִיּוּל

tee.yool טִיּוּל

אוּרִי הָלַךְ לְטִיּוּל וְנֶהֱנָה מְאֹד.

Uri went on a hiking trip
and had a good time.

pilot טַיָּס

tah.yahs טַיָּס

הָאִישׁ שֶׁנּוֹהֵג בְּמָטוֹס נִקְרָא טַיָּס.

The man who flies a plane
is called a pilot.

dew טַל

tahl טַל

יוֹסִי רָאָה בַּבֹּקֶר טַל עַל הֶעָלִים.

Yossi saw dew on the leaves in the morning.

lamb טָלֶה

tah.léh טָלֶה

טָלֶה הוּא כֶּבֶשׂ צָעִיר.

A lamb is a baby sheep.

tallith(prayer shawl) טַלִּית

tah.leet טַלִּית

אַבָּא שָׂם טַלִּית עַל הַכְּתֵפַיִם
בְּשָׁעָה שֶׁהוּא מִתְפַּלֵּל בְּבֵית־הַכְּנֶסֶת.

Dad puts a tallith on his shoulders when he prays in synagogue.

fruit basket טֶנֶא

té.né טֶנֶא

בְּחַג הַבִּכּוּרִים שָׂמִים בַּטֶּנֶא
פֵּרוֹת וִירָקוֹת.

On the Feast of the First Fruits we put fruit and vegetables into a fruit basket.

fly טָס

tahs טָס

הַמָּטוֹס טָס בַּשָּׁמַיִם.

An airplane flies in the sky.

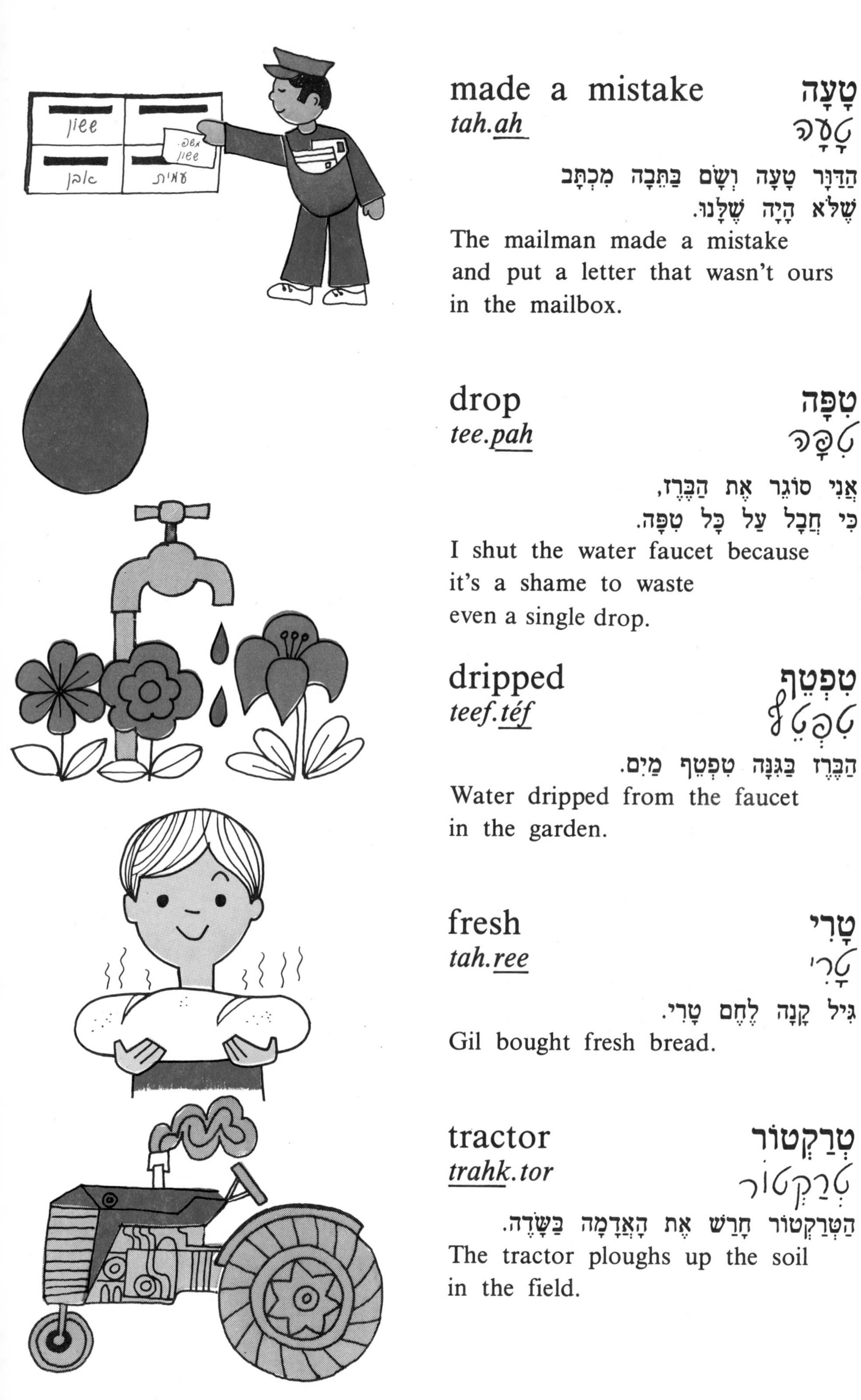

made a mistake טָעָה
tah.ah טָעָה

הַדַּוָּר טָעָה וְשָׂם בַּתֵּבָה מִכְתָּב שֶׁלֹּא הָיָה שֶׁלָּנוּ.

The mailman made a mistake and put a letter that wasn't ours in the mailbox.

drop טִפָּה
tee.pah טִפָּה

אֲנִי סוֹגֵר אֶת הַבֶּרֶז, כִּי חֲבָל עַל כָּל טִפָּה.

I shut the water faucet because it's a shame to waste even a single drop.

dripped טִפְטֵף
teef.téf טִפְטֵף

הַבֶּרֶז בַּגִּנָּה טִפְטֵף מַיִם.

Water dripped from the faucet in the garden.

fresh טָרִי
tah.ree טָרִי

גִּיל קָנָה לֶחֶם טָרִי.

Gil bought fresh bread.

tractor טְרַקְטוֹר
trahk.tor טְרַקְטוֹר

הַטְּרַקְטוֹר חָרַשׁ אֶת הָאֲדָמָה בַּשָּׂדֶה.

The tractor ploughs up the soil in the field.

א ב ג ד ה ו ז ח ט י כ ל מ נ ס ע פ צ ק ר ש ת

The Holy Shabbath שַׁבַּת קֹדֶשׁ
shah.baht ko.désh
תּוֹרָה
Torah Scroll
to.rah
סדור
סִדּוּר
prayer book
see.door
tallith טַלִּית
(prayer shawl)
tah.leet
אֲרוֹן הַקֹּדֶשׁ
the Holy Ark
ah.ron hah.ko.désh
בית כנסת
synagogue בֵּית כְּנֶסֶת
beyt-k(e)né.sét
Kiddush קִדּוּשׁ
(Blessing over the wine)
kee.doosh
יין
שבת שלום
Shabbath bread חַלּוֹת
khah.lot
יַיִן
wine
yah.yeen
candles נֵרוֹת
né.rot

hand — יָד

yahd — יָד

לְכָל אָדָם שְׁתֵּי יָדַיִם;
יָד יָמִין וְיָד שְׂמֹאל.

Everyone has two hands —
a right hand and a left hand.

knew — יָדַע

yah.dah — יָדַע

הַמּוֹרָה שָׁאֲלָה שְׁאֵלָה בְּחֶשְׁבּוֹן,
וְאֵהוּד יָדַע אֶת הַתְּשׁוּבָה.

The teacher asked a question
in arithmetic and Ehud knew
the answer.

day — יום

yom — יוֹם

The days of the week are: יְמֵי הַשָּׁבוּעַ הֵם:

Sunday	*yom ree.shon*	יום רִאשׁוֹן
Monday	*yom shé.nee*	יום שֵׁנִי
Tuesday	*yom sh(e)lee.shee*	יום שְׁלִישִׁי
Wednesday	*yom re.vee.ee*	יום רְבִיעִי
Thursday	*yom khah.mee.shee*	יום חֲמִישִׁי
Friday	*yom shee.shee*	יום שִׁשִּׁי
Saturday	*yom shah.baht*	יום שַׁבָּת

birthday — יוֹם-הֻלֶּדֶת

yom-hoo.lé.dét — יוֹם-הֻלֶּדֶת

בְּכָל שָׁנָה יֵשׁ לִי יוֹם-הֻלֶּדֶת.

My birthday comes round
once a year.

Independence Day יוֹם הָעַצְמָאוּת

יוֹם הָעַצְמָאוּת

yom hah.ahts.mah.oot

לִכְבוֹד יוֹם הָעַצְמָאוּת
מְקַשְּׁטִים אֶת הָרְחוֹבוֹת בִּדְגָלִים.

The streets are decorated with flags in honor of Independence Day.

Yom Kippur (Day of Atonement) יוֹם כִּפּוּר

יוֹם כִּפּוּר

yom kee.poor

בְּיוֹם כִּפּוּר צָמִים וּמִתְפַּלְּלִים בְּבֵית־הַכְּנֶסֶת.

On Yom Kippur we fast and pray at the synagogue.

dove יוֹנָה

יוֹנָה

yo.nah

יֵשׁ לָנוּ יוֹנִים בֶּחָצֵר.
יוֹנָה גָּרָה בַּשּׁוֹבָךְ.

We have doves in our yard.
A dove lives in a dovecote.

more יוֹתֵר

יוֹתֵר

yo.tér

יֵשׁ לִי יוֹתֵר מֵאַרְבַּע גֻּלּוֹת וּפָחוֹת מֵעֶשֶׂר,
יֵשׁ לִי שְׁמוֹנֶה גֻּלּוֹת.

I have more than 4 marbles and less than 10: I have 8 marbles.

together יַחַד

יַחַד

yah.khahd

הֲדַס וְשָׁרוֹן חֲבֵרוֹת. הֵן מְשַׂחֲקוֹת יַחַד.

Hadass and Sharon are friends.
They play together.

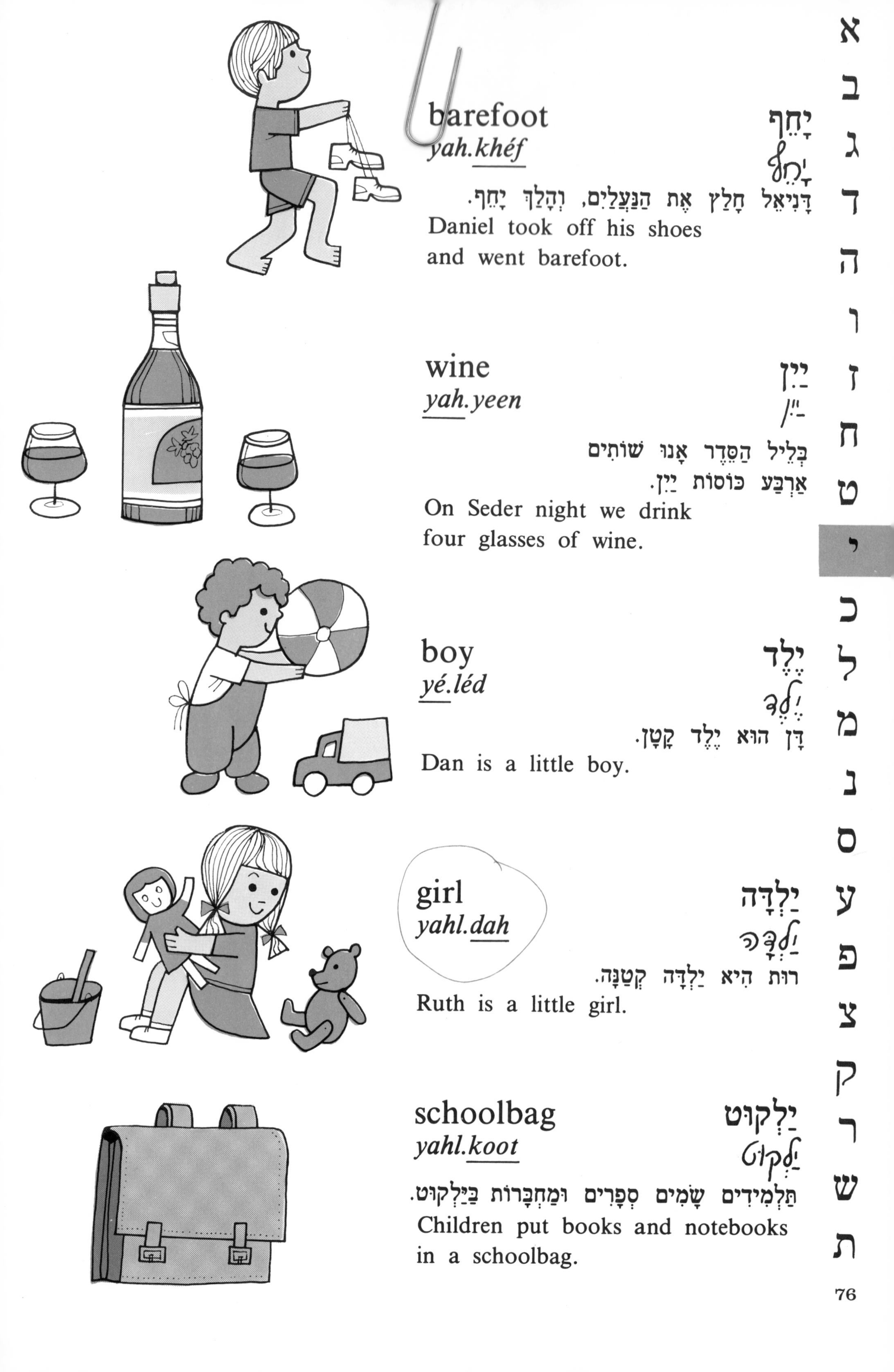

barefoot יָחֵף
yah.khéf

דָּנִיאֵל חָלַץ אֶת הַנַּעֲלַיִם, וְהָלַךְ יָחֵף.
Daniel took off his shoes and went barefoot.

wine יַיִן
yah.yeen

בְּלֵיל הַסֵּדֶר אָנוּ שׁוֹתִים אַרְבַּע כּוֹסוֹת יַיִן.
On Seder night we drink four glasses of wine.

boy יֶלֶד
yé.léd

דָּן הוּא יֶלֶד קָטָן.
Dan is a little boy.

girl יַלְדָּה
yahl.dah

רוּת הִיא יַלְדָּה קְטַנָּה.
Ruth is a little girl.

schoolbag יַלְקוּט
yahl.koot

תַּלְמִידִים שָׂמִים סְפָרִים וּמַחְבָּרוֹת בַּיַּלְקוּט.
Children put books and notebooks in a schoolbag.

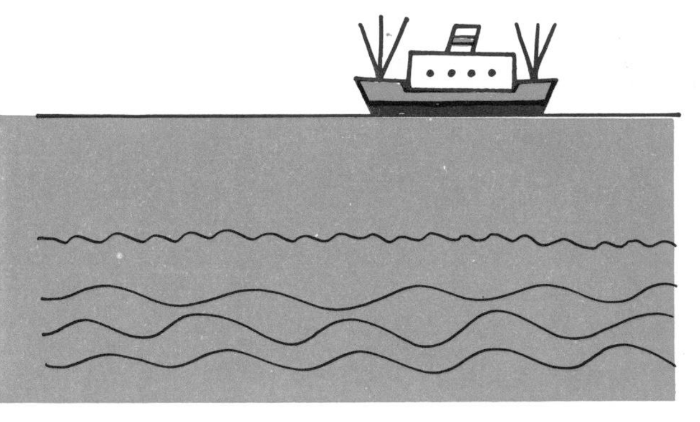

sea — יָם
yahm — יָם

אֳנִיָּה שָׁטָה בַּיָּם.
A ship sails across the sea.

owl — יַנְשׁוּף
yahn.shoof — יַנְשׁוּף

יַנְשׁוּף הוּא עוֹף בַּעַל עֵינַיִם גְּדוֹלוֹת.
הוּא יָכוֹל לִרְאוֹת בַּחֹשֶׁךְ.
An owl is a bird with big eyes.
It can see in the dark.

forest — יַעַר
yah.ahr — יַעַר

בְּיוֹם חַם נָעִים לְטַיֵּל בֵּין עֲצֵי הַיַּעַר.
On a hot day it is pleasant
to walk among the trees
of the forest.

pretty — יָפֶה
yah.féh — יָפֶה

הִלֵּל צִיֵּר צִיּוּר יָפֶה.
Hillel drew a pretty picture.

went out — יָצָא
yah.tsah — יָצָא

הַכֶּלֶב יָשֵׁן בַּמְּלוּנָה,
בַּבֹּקֶר הוּא יָצָא לֶחָצֵר.
The dog slept in the doghouse.
In the morning, it went out
into the yard.

went down יָרַד

yah.rahd יָרַד

גָּד יָרַד בַּמַּדְרֵגוֹת אֶל הָרְחוֹב.

Gad went down the stairs
and into the street.

moon יָרֵחַ

yah.ré.ahkh יָרֵחַ

הַיָּרֵחַ נִמְצָא בַּשָּׁמַיִם.
אָנוּ רוֹאִים אוֹתוֹ בַּלַּיְלָה.

The moon is in the sky.
We can see it at night.

there is/are יֵשׁ

yésh יֵשׁ

בַּסַּל יֵשׁ תַּפּוּחִים.

There are some apples
in the basket.

sat יָשַׁב

yah.shahv יָשַׁב

כַּרְמֶל יָשַׁב עַל הַכִּסֵּא.

Carmel sat on the chair.

old יָשָׁן

yah.shahn יָשָׁן

הַסַּנְדָּל קָרוּעַ, כִּי הוּא יָשָׁן.

The sandal is torn because it's old.

א ב ג ד ה ו ז ח ט י כ ל מ נ ס ע פ צ ק ר ש ת

sleep(s) יָשֵׁן

yah.shén יָשֵׁן

דָּנִי יָשֵׁן עִם הַמְּכוֹנִית שֶׁלּוֹ,
וְוֶרֶד יְשֵׁנָה עִם הַבֻּבָּה שֶׁלָּהּ.

Danny sleeps with his toy car
and Vered sleeps with her doll.

straight יָשָׁר

yah.shahr יָשָׁר

אֵיתָן נִסָּה לְצַיֵּר בַּמַּחְבֶּרֶת קַו יָשָׁר.

Eitan tried to draw a straight line
in his notebook.

orphan יָתוֹם

yah.tom יָתוֹם

יֵשׁ לִי חָבֵר יָתוֹם. אָבִיו נֶהֱרַג בַּמִּלְחָמָה.

I have a friend who is an orphan.
His father was killed in the war.

mosquito יַתּוּשׁ

yah.toosh יַתּוּשׁ

יַתּוּשׁ הוּא חֶרֶק קָטָן שֶׁעָף וּמְזַמְזֵם.

A mosquito is a small insect
that flies and buzzes.

hurt כָּאַב

kah.ahv כָּאַב

יִגְאָל נָפַל וְקִבֵּל מַכָּה. כָּאַב לוֹ מְאֹד.

Yigal fell and got a bump.
It hurt a lot.

fireman כַּבַּאי
kah.bie כַּבַּאי

הַכַּבַּאי כִּבָּה אֶת הַשְּׂרֵפָה.
The fireman put out the fire.

heavy כָּבֵד
kah.véd כָּבֵד

הַמִּזְוָדָה כְּבֵדָה מְאֹד;
יֵשׁ בְּתוֹכָהּ דָּבָר כָּבֵד.
The suitcase is very heavy.
There is something heavy in it.

washed כִּבֵּס
kee.bés כִּבֵּס

אִמָּא כִּבְּסָה לִי אֶת הַשִּׂמְלָה.
הַחַיָּל כִּבֵּס אֶת הַמַּדִּים שֶׁלּוֹ.
Mom washed the dress for me.
The soldier washed his uniform.

sheep כֶּבֶשׂ
ké.vés כֶּבֶשׂ

אָנוּ מְקַבְּלִים צֶמֶר מִן הַכֶּבֶשׂ.
We get wool from our sheep.

pitcher כַּד
kahd כַּד

בַּמְּקָרֵר יֵשׁ כַּד מַיִם קָרִים.
There is a pitcher of cold water in the refrigerator.

ball — **כַּדּוּר**

kah.door — כַּדּוּר

עֲדִי וְיָעֵל שִׂחֲקוּ בְּכַדּוּר.

Adi and Yael played ball.

in order to... — **כְּדֵי**

k(e)dey — כְּדֵי

לָבַשְׁתִּי אֶת הַמְּעִיל שֶׁלִּי,
כְּדֵי שֶׁיִּהְיֶה לִי חַם.

I put on my coat in order
to keep warm.

hat — **כּוֹבַע**

ko.vah — כּוֹבַע

אֲנִי חוֹבֵשׁ כּוֹבַע עַל הָרֹאשׁ.

I cover my head with a hat.

star — **כּוֹכָב**

ko.khahv — כּוֹכָב

הַכּוֹכָבִים נִמְצָאִים בַּשָּׁמַיִם.
רָאִיתִי אֶת הַכּוֹכָב שֶׁזָּרַח רִאשׁוֹן.

The stars are in the sky.
I saw the first star.

glass — **כּוֹס**

kos — כּוֹס

כָּל בֹּקֶר אֲנִי שׁוֹתֶה כּוֹס חָלָב.

I drink a glass of milk
every morning.

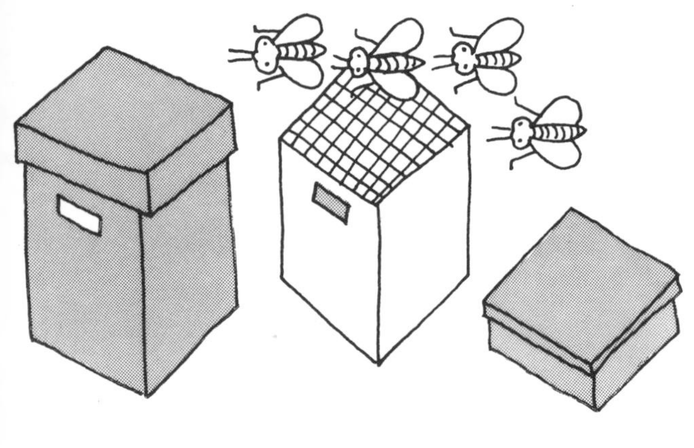

beehive — כַּוֶּרֶת

kah.vé.rét — כַּוֶּרֶת

אָנוּ מוֹצִיאִים דְּבַשׁ מִן הַכַּוֶּרֶת.

We take honey from a beehive.

sink — כִּיּוֹר

kee.yor — כִּיּוֹר

אָנוּ שׁוֹטְפִים כֵּלִים בַּכִּיּוֹר שֶׁבַּמִּטְבָּח.

We wash the dishes
in the kitchen sink.

all — כָּל

kol — כָּל

כָּל הַיְלָדִים הַיּוֹם בַּכִּתָּה,
אַף אֶחָד לֹא חָסֵר.

Today all the children are in school.
No one is absent.

dog — כֶּלֶב

ké.lév — כֶּלֶב

הַכֶּלֶב שׁוֹמֵר עַל הָאִישׁ וְעַל בֵּיתוֹ.

The dog guards his master
and his house.

cage — כְּלוּב

k(e)loov — כְּלוּב

בַּכְּלוּב יֵשׁ צִפּוֹר.

There is a bird in the cage.

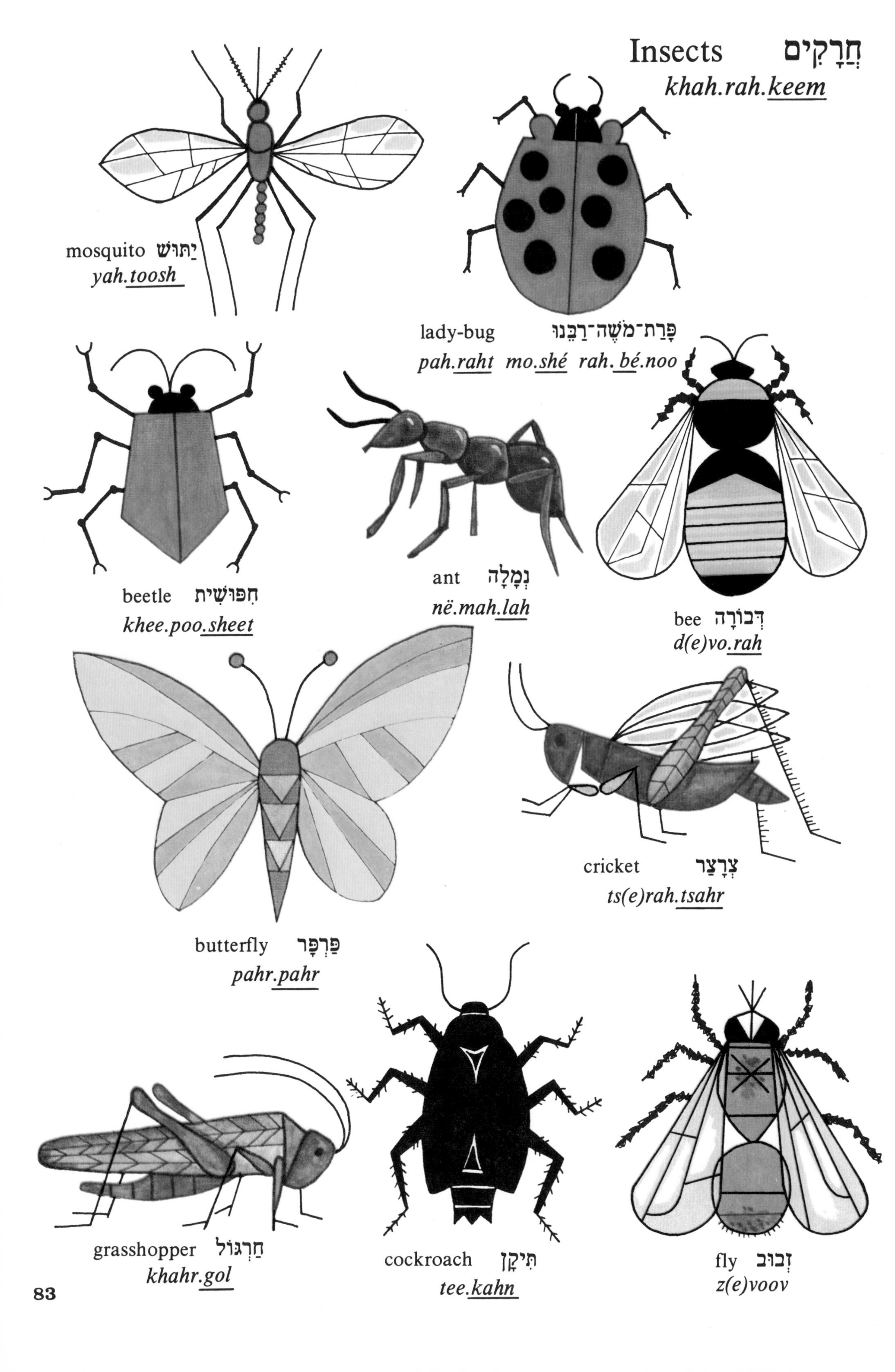
Insects חֲרָקִים
khah.rah.keem
mosquito יַתּוּשׁ
yah.toosh
lady-bug פָּרַת־מֹשֶׁה־רַבֵּנוּ
pah.raht mo.shé rah.bé.noo
beetle חִפּוּשִׁית
khee.poo.sheet
ant נְמָלָה
në.mah.lah
bee דְּבוֹרָה
d(e)vo.rah
cricket צְרָצַר
ts(e)rah.tsahr
butterfly פַּרְפָּר
pahr.pahr
grasshopper חַרְגּוֹל
khahr.gol
cockroach תִּיקָן
tee.kahn
fly זְבוּב
z(e)voov

Eating Utensils כְּלֵי־אֹכֶל

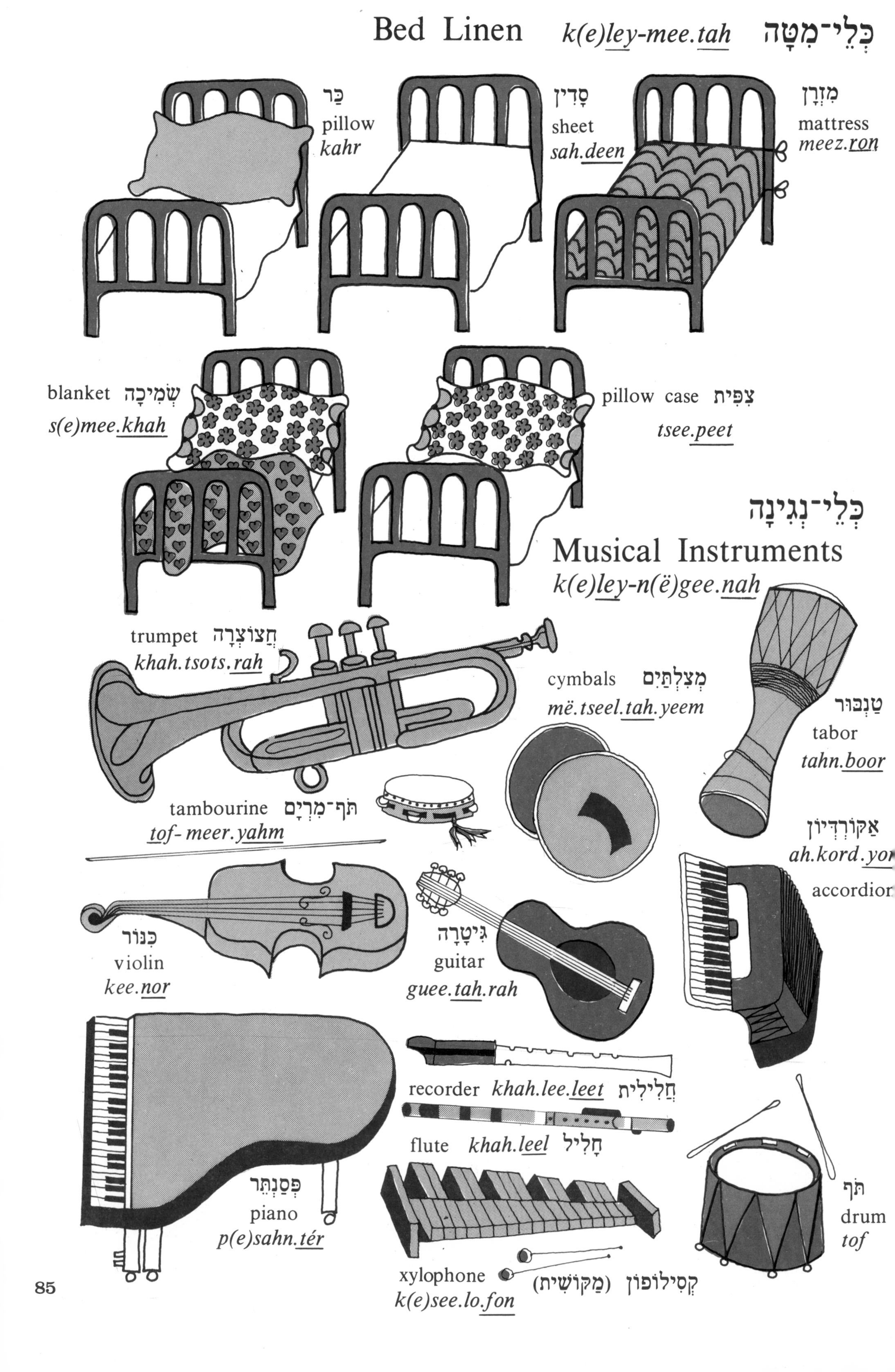
Bed Linen k(e)ley-mee.tah כְּלֵי־מִטָּה
כַּר
pillow
kahr
סָדִין
sheet
sah.deen
מִזְרָן
mattress
meez.ron
blanket שְׂמִיכָה
s(e)mee.khah
pillow case צִפִּית
tsee.peet
כְּלֵי־נְגִינָה
Musical Instruments
k(e)ley-n(ë)gee.nah
trumpet חֲצוֹצְרָה
khah.tsots.rah
cymbals מְצִלְתַּיִם
më.tseel.tah.yeem
טַנְבּוּר
tabor
tahn.boor
tambourine תֹּף־מִרְיָם
tof- meer.yahm
אַקּוֹרְדְּיוֹן
ah.kord.yon
accordion
כִּנּוֹר
violin
kee.nor
גִּיטָרָה
guitar
guee.tah.rah
recorder khah.lee.leet חֲלִילִית
flute khah.leel חָלִיל
פְּסַנְתֵּר
piano
p(e)sahn.tér
תֹּף
drum
tof
xylophone קְסִילוֹפוֹן (מַקּוֹשִׁית)
k(e)see.lo.fon

Vegetables יְרָקוֹת

yë.rah.kot

Tools כְּלֵי־עֲבוֹדָה
k(e)ley-ah.vo.dah

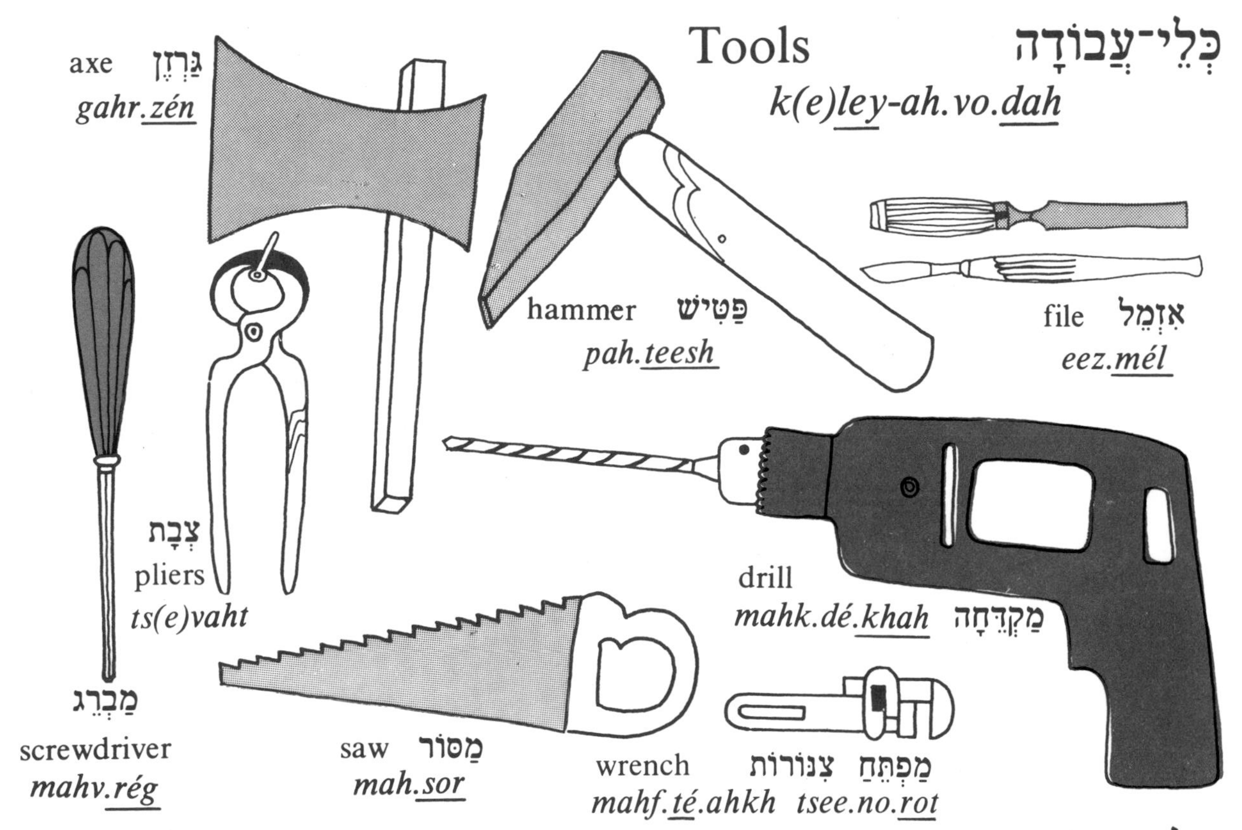

Garden Tools *k(e)ley-ah.vo.dah bah.guee.nah* כְּלֵי־עֲבוֹדָה בַּגִּנָּה

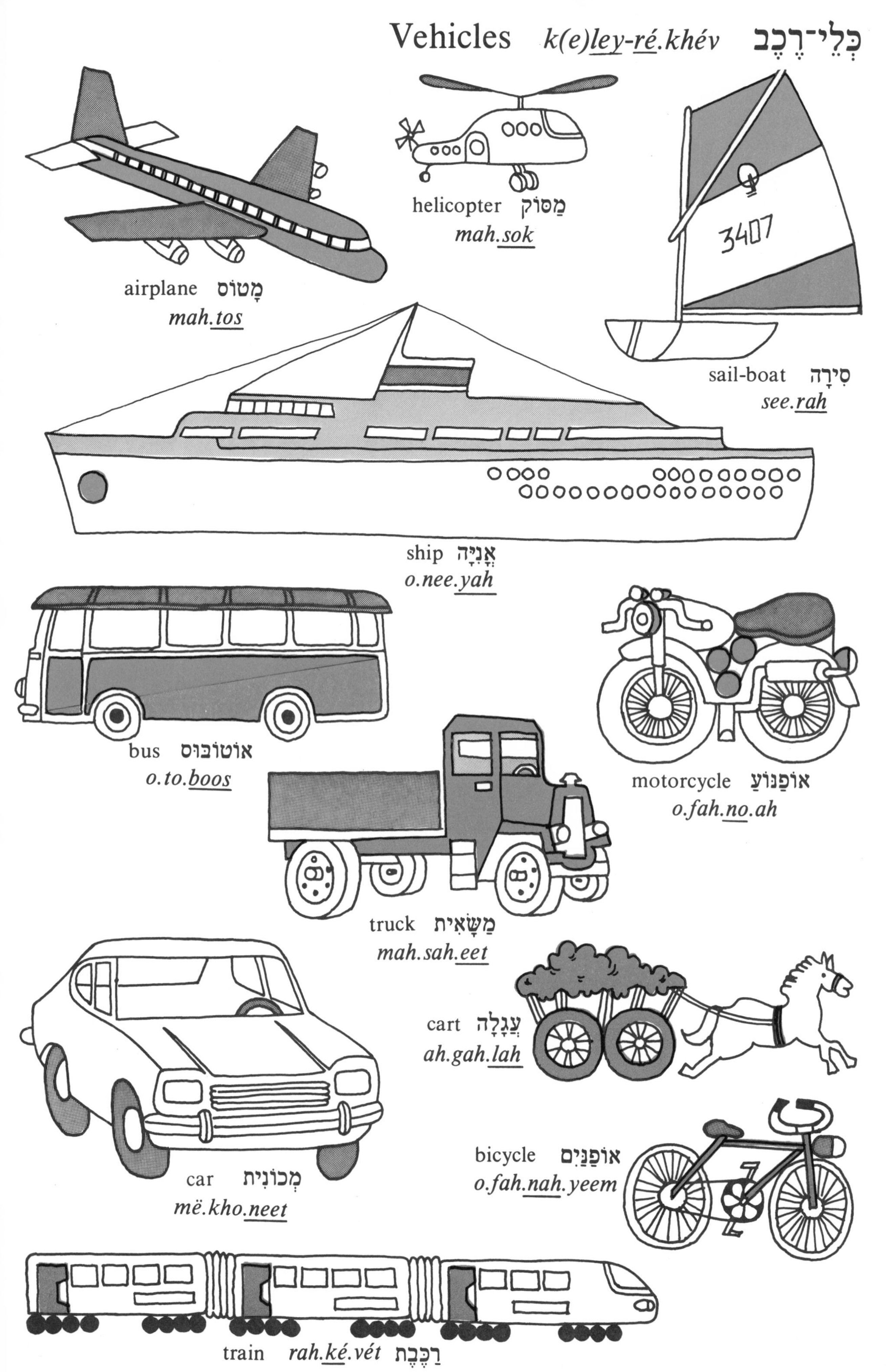

Vehicles k(e)ley-ré.khév כְּלֵי־רֶכֶב
helicopter מַסּוֹק
mah.sok
airplane מָטוֹס
mah.tos
sail-boat סִירָה
see.rah
3407
ship אֳנִיָּה
o.nee.yah
bus אוֹטוֹבּוּס
o.to.boos
motorcycle אוֹפַנּוֹעַ
o.fah.no.ah
truck מַשָּׂאִית
mah.sah.eet
cart עֲגָלָה
ah.gah.lah
bicycle אוֹפַנַּיִם
o.fah.nah.yeem
car מְכוֹנִית
më.kho.neet
train rah.ké.vét רַכֶּבֶת

Sewing Articles כְּלֵי־תְּפִירָה

k(e)ley-t(e)fee.rah

anemone כַּלָּנִית

kah.lah.neet

כַּלָּנִית

כַּלָּנִית הִיא פֶּרַח שָׂדֶה יָפֶה
שֶׁפּוֹרֵחַ בַּחֹרֶף.

An anemone is a lovely wild flower that grows in the winter.

how many? כַּמָּה

kah.mah

כַּמָּה

גַּל שָׁאַל: ״כַּמָּה גֻּלּוֹת יֵשׁ לְךָ?״
דּוֹרוֹן עָנָה: ״יֵשׁ לִי שְׁמוֹנֶה גֻּלּוֹת.״

Gal asked, "How many marbles do you have?" Doron answered, "I have eight marbles".

like כְּמוֹ

k(e)mo

כְּמוֹ

אֵלִי הִתְחַפֵּשׂ לְחַיָּל
וְנִרְאָה כְּמוֹ חַיָּל אֲמִתִּי.

Eli dressed up as a soldier. He really looked like one.

almost כִּמְעַט
keem.aht כִּמְעַט

אָכַלְנוּ כִּמְעַט עוּגָה שְׁלֵמָה,
נִשְׁאֲרָה רַק חֲתִיכָה אַחַת.

We ate almost all the cake.
Only one piece is left.

violin כִּנּוֹר
kee.nor כִּנּוֹר

לַכִּנּוֹר יֵשׁ אַרְבָּעָה מֵיתָרִים.

A violin has four strings.

wing כָּנָף
kah.nahf כָּנָף

הַכָּנָף הִיא אֵבֶר בְּגוּף הָעוֹף.
הַצִּפּוֹר עָפָה בְּעֶזְרַת הַכְּנָפַיִם.

A wing is a limb of a bird's body.
A bird uses its wings to fly.

chair כִּסֵּא
kee.sé כִּסֵּא

גָּד יוֹשֵׁב עַל כִּסֵּא כְּשֶׁהוּא מֵכִין שְׁעוּרִים.

Gad sits on a chair when he does his homework.

money כֶּסֶף
ké.séf כֶּסֶף

אֲנִי מַחֲזִיק כֶּסֶף בָּאַרְנָק שֶׁלִּי.

I keep money in my purse.

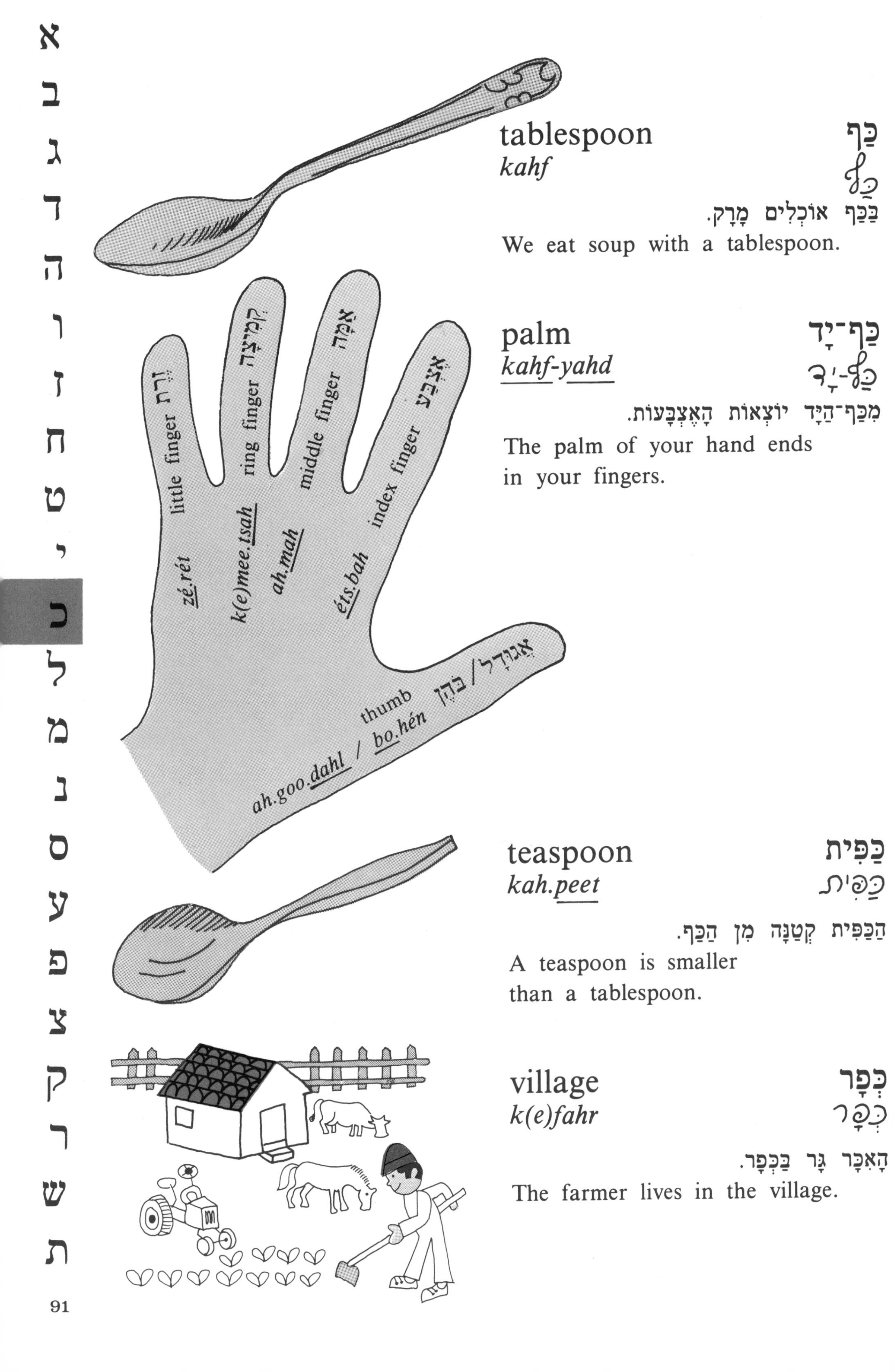

tablespoon — כַּף

kahf — כַּף

בַּכַּף אוֹכְלִים מָרָק.

We eat soup with a tablespoon.

palm — כַּף־יָד

kahf-yahd — כַּף־יָד

מִכַּף־הַיָּד יוֹצְאוֹת הָאֶצְבָּעוֹת.

The palm of your hand ends in your fingers.

teaspoon — כַּפִּית

kah.peet — כַּפִּית

הַכַּפִּית קְטַנָּה מִן הַכַּף.

A teaspoon is smaller than a tablespoon.

village — כְּפָר

k(e)fahr — כְּפָר

הָאִכָּר גָּר בַּכְּפָר.

The farmer lives in the village.

crest **כַּרְבֹּלֶת**
kahr.<u>bo</u>.lét כַּרְבֹּלֶת

לַתַּרְנְגוֹל יֵשׁ כַּרְבֹּלֶת אֲדֻמָּה עַל הָרֹאשׁ.
The rooster has a red crest on its head.

ticket **כַּרְטִיס**
kahr.<u>tees</u> כַּרְטִיס

רָן נָסַע בָּאוֹטוֹבּוּס. הוּא קָנָה כַּרְטִיס.
Ron travelled by bus.
He bought a ticket.

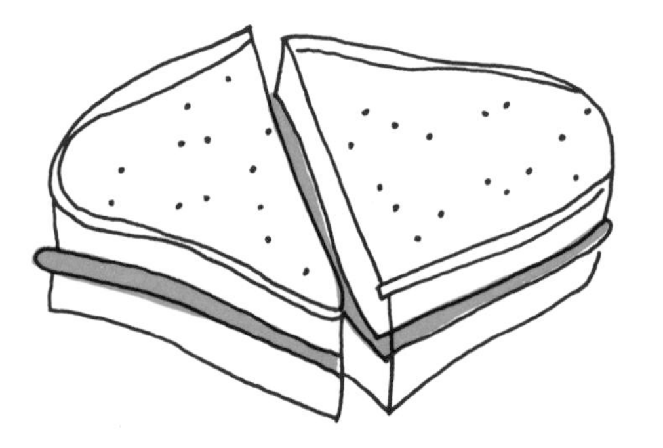

sandwich **כָּרִיךְ**
kah.<u>reekh</u> כָּרִיךְ

אֲנִי מֵבִיא כָּרִיךְ לְבֵית־הַסֵּפֶר.
I bring a sandwich to school.

book-cover **כְּרִיכָה**
k(e)ree.<u>khah</u> כְּרִיכָה

שֵׁם הַסֵּפֶר כָּתוּב עַל הַכְּרִיכָה.
The name of the book is written on the book-cover.

crocus **כַּרְכֹּם**
kahr.<u>kom</u> כַּרְכֹּם

הַכַּרְכֹּם הוּא פֶּרַח הַפּוֹרֵחַ
בְּהַתְחָלַת הַחֹרֶף.
The crocus is a flower that blooms at the beginning of winter.

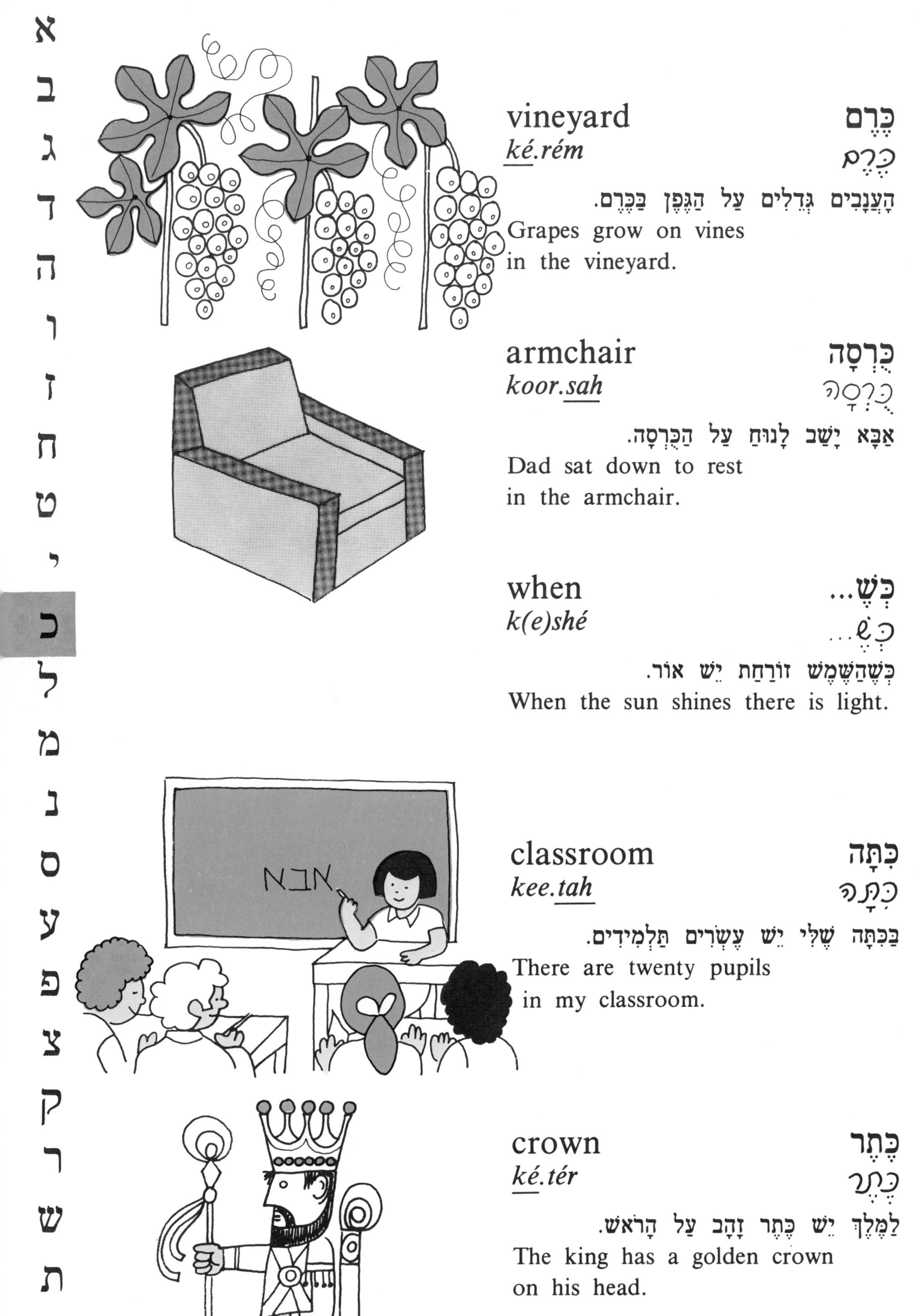

vineyard — **כֶּרֶם**

ké.rém — כֶּרֶם

הָעֲנָבִים גְּדֵלִים עַל הַגֶּפֶן בַּכֶּרֶם.

Grapes grow on vines
in the vineyard.

armchair — **כֻּרְסָה**

koor.sah — כֻּרְסָה

אַבָּא יָשַׁב לָנוּחַ עַל הַכֻּרְסָה.

Dad sat down to rest
in the armchair.

when — **כְּשֶׁ...**

k(e)shé — כְּשֶׁ...

כְּשֶׁהַשֶּׁמֶשׁ זוֹרַחַת יֵשׁ אוֹר.

When the sun shines there is light.

classroom — **כִּתָּה**

kee.tah — כִּתָּה

בַּכִּתָּה שֶׁלִּי יֵשׁ עֶשְׂרִים תַּלְמִידִים.

There are twenty pupils
in my classroom.

crown — **כֶּתֶר**

ké.tér — כֶּתֶר

לַמֶּלֶךְ יֵשׁ כֶּתֶר זָהָב עַל הָרֹאשׁ.

The king has a golden crown
on his head.

for ...לְ
lë ...לְ

אִמָּא נָתְנָה סֻכָּרִיּוֹת:
אַחַת לְךָ, אַחַת לְדָנִי וְאַחַת לִי.

Mom gave out candy:
one for you, one for Danny
and one for me.

no(t) לֹא
lo לֹא

בְּיִשְׂרָאֵל לֹא יוֹרֵד גֶּשֶׁם בַּקַּיִץ וְלֹא קַר.

In Israel it doesn't rain
in the summer,
and it's not cold then.

heart לֵב
lév לֵב

לֹא רוֹאִים אֶת הַלֵּב,
אֲבָל שׁוֹמְעִים אוֹתוֹ דּוֹפֵק.

We can't see the heart,
but we can hear it beating.

white לָבָן
lah.vahn לָבָן

הַצֶּבַע שֶׁל הֶחָלָב הוּא לָבָן.

The color of milk is white.

Lag B'Omer לַג בָּעֹמֶר
lahg bah.o.mér לַג בָּעֹמֶר

בְּלַג בָּעֹמֶר מַדְלִיקִים מְדוּרוֹת.

On Lag B'Omer we light bonfires.

whale **לִוְיָתָן**

leev.yah.tahn לִוְיָתָן

הַלִּוְיָתָן חַי בַּיָּם.

The whale lives in the sea.

chicken **לוּל**

lool לוּל

הַלּוּל נִמְצָא בַּמֶּשֶׁק.

There is a chicken-coop on the farm.

blackboard **לוּחַ**

loo.ahkh לוּחַ

אָנוּ כּוֹתְבִים בְּגִיר עַל הַלּוּחַ.

We write with chalk on the blackboard.

lulav (palm branch) **לוּלָב**

loo.lahv לוּלָב

הַלּוּלָב הוּא אֶחָד מֵאַרְבַּעַת הַמִּינִים שֶׁמְּבָרְכִים עֲלֵיהֶם בְּחַג סֻכּוֹת.

The palm branch is one of the four kinds of branches we use for the Succot blessing.

bread **לֶחֶם**

lé.khém לֶחֶם

אִמָּא קָנְתָה בַּמַּכֹּלֶת לֶחֶם טָרִי.

Mom bought fresh bread at the grocery store.

Basic Concepts מֻשָּׂגִים

moo.sah.geem

outside ...מִחוּץ לְ
mee.khoots lë

inside בְּתוֹךְ
bë.tokh

near עַל־יַד
ahl-yahd

on עַל
ahl

under מִתַּחַת
mee.tah.khaht

in a line בַּשּׁוּרָה
bah.shoo.rah

between בֵּין
beyn

behind מֵאֲחוֹרֵי
mé.ah.kho.rey

above מֵעַל
mé.ahl

in front of לִפְנֵי
leef.ney

around מִסָּבִיב
mee.sah.veev

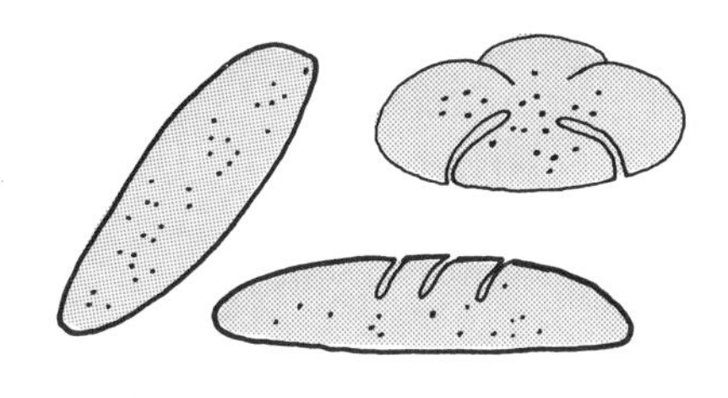

roll לַחְמָנִיָּה

lahkh.mah.nee.yah לַחְמָנִיָּה

לַחְמָנִיָּה הִיא לֶחֶם קָטָן מְאֹד.

A roll is a very small loaf of bread.

whispered לָחַשׁ

lah.khahsh לָחַשׁ

אָחִי לָחַשׁ לִי בָּאֹזֶן. רִנָּה לָחֲשָׁה סוֹד.

My brother whispered in my ear.
Rina whispered a secret.

lizard לְטָאָה

lë.tah.ah לְטָאָה

לַלְּטָאָה יֵשׁ אַרְבַּע רַגְלַיִם קְצָרוֹת וְזָנָב אָרֹךְ.

A lizard has four short legs and a long tail.

night לַיְלָה

lie.lah לַיְלָה

לִפְנֵי הַשֵּׁנָה בַּלַּיְלָה אָנוּ אוֹמְרִים: ״לַיְלָה טוֹב״.

Before we go to bed at night we say "Good night".

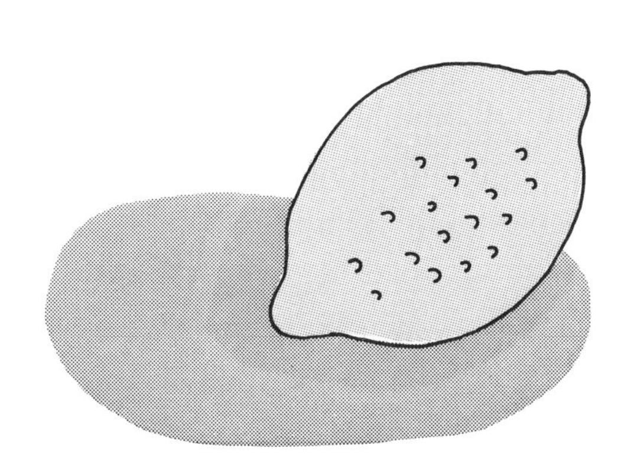

lemon לִימוֹן

lee.mon לִימוֹן

לִימוֹן הוּא פְּרִי־הָדָר שֶׁיֵּשׁ לוֹ טַעַם חָמוּץ.

A lemon is a citrus fruit with a sour taste.

clown   **לֵיצָן**

ley.tsahn   לֵיצָן

הַלֵּיצָן לוֹבֵשׁ בְּגָדִים מַצְחִיקִים,
וְצוֹבֵעַ אֶת הַפָּנִים.

The clown wears funny clothes
and paints his face.

learned   **לָמַד**

lah.mahd   לָמַד

אֶלְעָד לָמַד בְּכִתָּה א׳ לִקְרֹא וְלִכְתֹּב.
עָפְרָה לָמְדָה לִשְׂחוֹת בַּבְּרֵכָה.

Elad learned to read and to write
in first grade. Ofra learned
to swim in the swimming pool.

why   **לָמָּה**

lah.mah   לָמָּה

לָמָּה אֵחַרְתָּ לְבֵית־הַסֵּפֶר?

Why were you late for school?

down   **לְמַטָּה**

lë.mah.tah   לְמַטָּה

הַצַּנְחָן קָפַץ מִן הַמָּטוֹס וְצָנַח לְמַטָּה.

The paratrooper jumped
from the airplane and floated down.

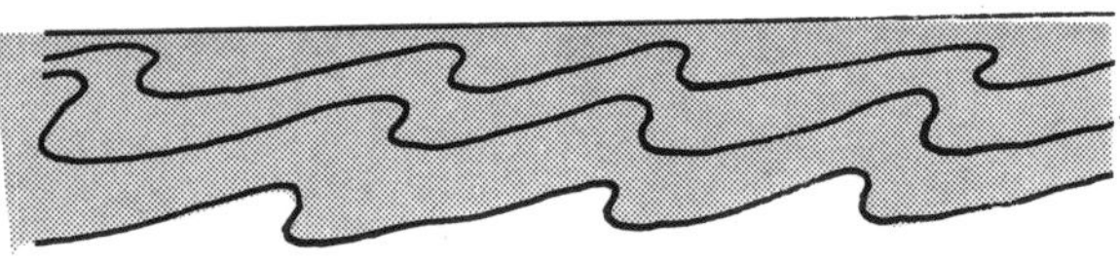

up — **לְמַעְלָה**

lë.mah.lah

לְמַעְלָה

שָׁמַעְתִּי אֲוִירוֹן וְהִסְתַּכַּלְתִּי לְמַעְלָה.

I heard an airplane and looked up.

took — **לָקַח**

lah.kahkh

לָקַח

אוּרִי לָקַח סֵפֶר מִן הָאָרוֹן.

Uri took a book from the bookcase.

kneaded — **לָשׁ**

lahsh

לָשׁ

הָאוֹפֶה לָשׁ אֶת הַבָּצֵק.

The baker kneaded the dough.

tongue — **לָשׁוֹן**

lah.shon

לָשׁוֹן

הַלָּשׁוֹן נִמְצֵאת בַּפֶּה.

The tongue is in the mouth.

towel — **מַגֶּבֶת**

mah.gué.vét

מַגֶּבֶת

בְּמַגֶּבֶת מְנַגְּבִים גּוּף רָטֹב.

We dry our wet body with a towel.

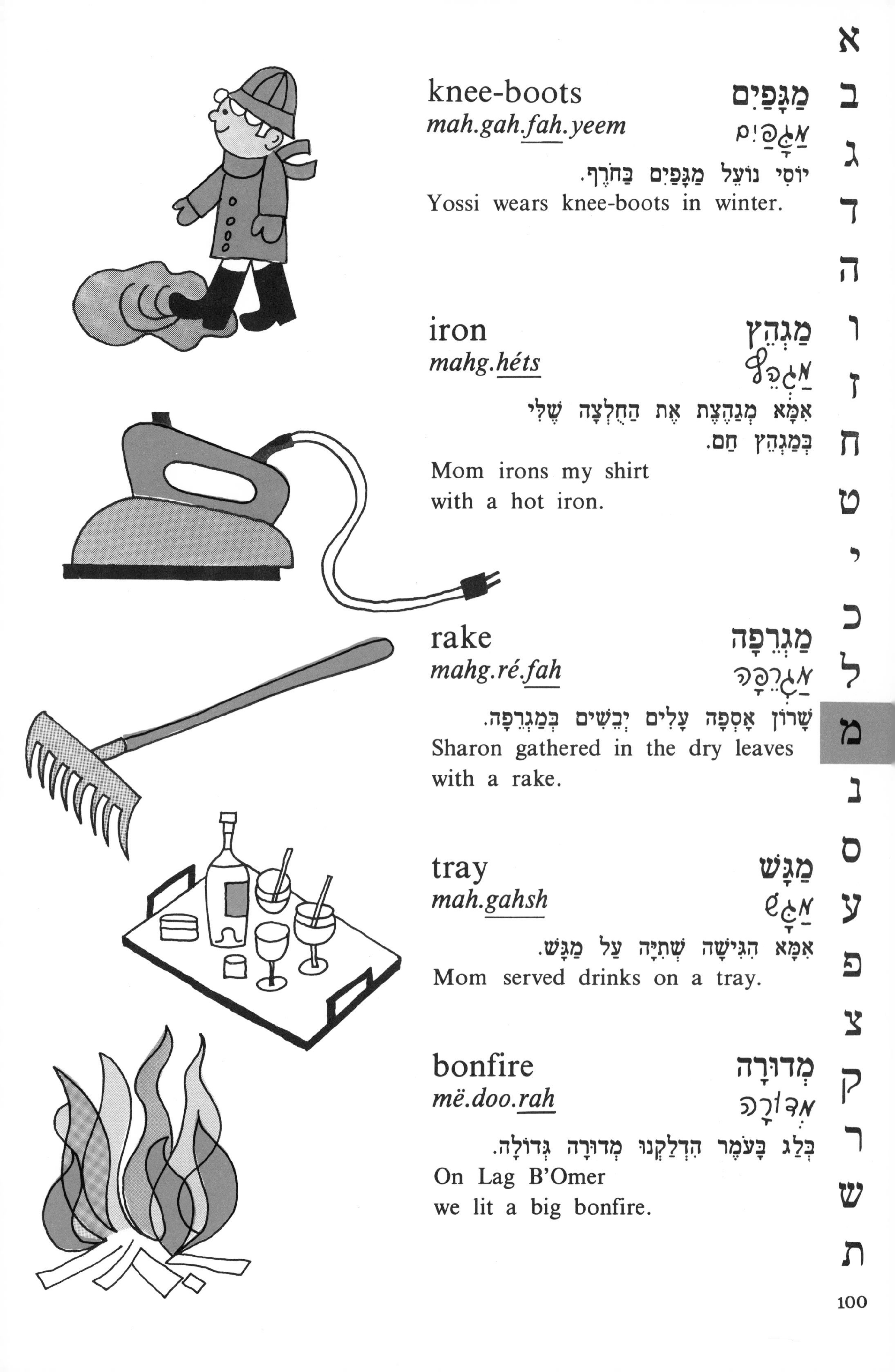

knee-boots מַגָּפַיִם

mah.gah.fah.yeem מַגָּפַיִם

יוֹסִי נוֹעֵל מַגָּפַיִם בַּחֹרֶף.

Yossi wears knee-boots in winter.

iron מַגְהֵץ

mahg.héts מַגְהֵץ

אִמָּא מְגַהֶצֶת אֶת הַחֻלְצָה שֶׁלִּי בְּמַגְהֵץ חַם.

Mom irons my shirt with a hot iron.

rake מַגְרֵפָה

mahg.ré.fah מַגְרֵפָה

שָׁרוֹן אָסְפָה עָלִים יְבֵשִׁים בְּמַגְרֵפָה.

Sharon gathered in the dry leaves with a rake.

tray מַגָּשׁ

mah.gahsh מַגָּשׁ

אִמָּא הִגִּישָׁה שְׁתִיָּה עַל מַגָּשׁ.

Mom served drinks on a tray.

bonfire מְדוּרָה

më.doo.rah מְדוּרָה

בְּלַג בָּעֹמֶר הִדְלַקְנוּ מְדוּרָה גְּדוֹלָה.

On Lag B'Omer we lit a big bonfire.

א ב ג ד ה ו ז ח ט י כ ל מ נ ס ע פ צ ק ר ש ת

thermometer — **מַדְחֹם**
mahd.khom — מַדְחֹם

כְּשֶׁאֲנִי חוֹלֶה אֲנִי מוֹדֵד
אֶת הַחֹם בְּמַדְחֹם.

When I am sick, I take
my temperature with a thermometer.

sidewalk — **מִדְרָכָה**
meed.rah.khah — מִדְרָכָה

הַמִּדְרָכָה נִמְצֵאת בִּשְׁנֵי הַצְּדָדִים
שֶׁל הַכְּבִישׁ.

There is a sidewalk on both sides
of the street.

what — **מַה**
mah — מַה

מַה שִּׁמְךָ? שְׁמִי יַעֲקֹב לֵוִי.

"What's your name?"
"My name is Jacob Levy."

teacher — **מוֹרָה**
mo.rah — מוֹרָה

יֵשׁ לִי מוֹרָה טוֹבָה מְאֹד.

I have a very good teacher.

food — **מָזוֹן**
mah.zon — מָזוֹן

בְּנֵי אָדָם, חַיּוֹת וּצְמָחִים
אֵינָם יְכוֹלִים לִחְיוֹת בְּלִי מָזוֹן.

People, animals and plants
can't live without food.

luck — מַזָּל

mah.zahl

מַזָּל

לְיַעֲקֹב הָיָה מַזָּל; הוּא זָכָה בַּהַגְרָלָה וְקִבֵּל כַּדּוּרֶגֶל.

Jacob was lucky: he won the raffle and got a football.

fork — מַזְלֵג

mahz.lég

מַזְלֵג

אָנוּ אוֹכְלִים יְרָקוֹת בְּמַזְלֵג.

We eat vegetables with a fork.

watering can — מַזְלֵף

mahz.léf

מַזְלֵף

גָּד מִלֵּא מַיִם בַּמַּזְלֵף וְהִשְׁקָה אֶת הַגִּנָּה.

Gad filled the watering can with water and watered the garden.

pruning shears — מַזְמֵרָה

mahz.mé.rah

מַזְמֵרָה

הַגַּנָּן קָצַץ אֶת הָעֲנָפִים הַיְּבֵשִׁים בְּמַזְמֵרָה.

The gardener cut off the dry branches with pruning shears.

brain — מֹחַ

mo.ahkh

מֹחַ

הַמֹּחַ נִמְצָא בְּתוֹךְ הָרֹאשׁ.

Your brain is in your head.

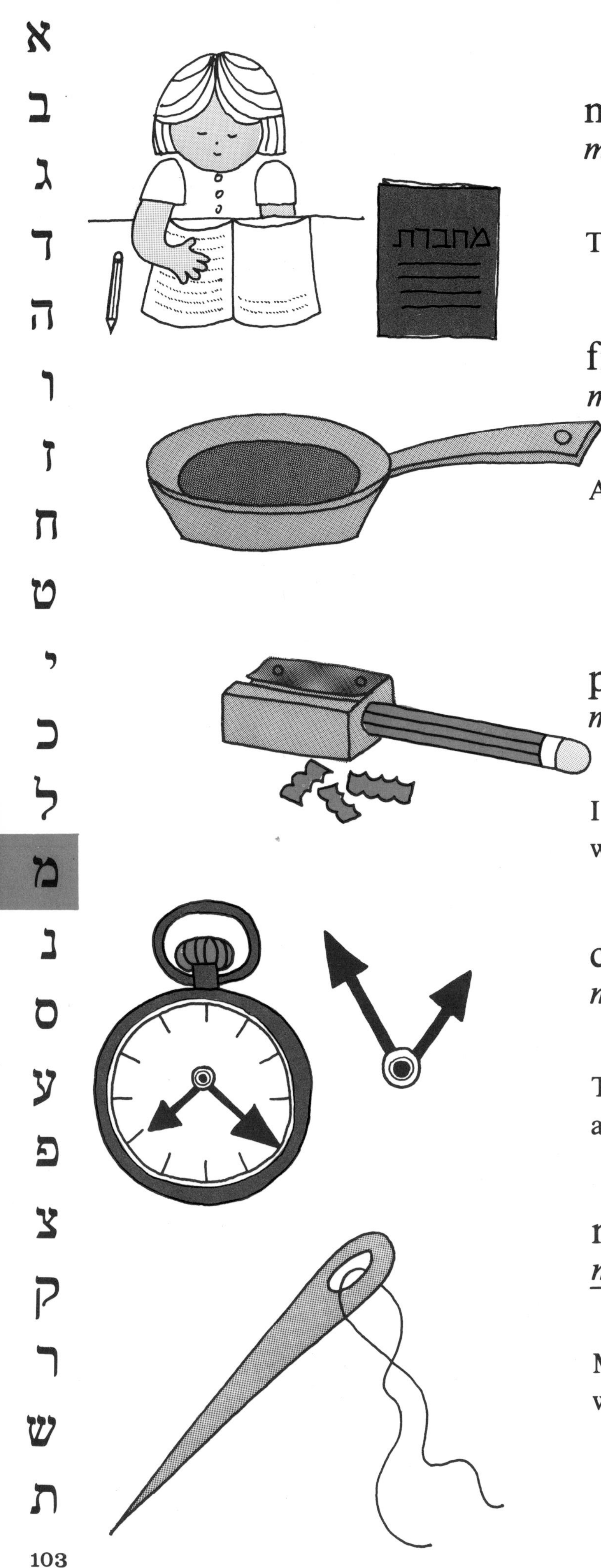

notebook **מַחְבֶּרֶת**
mahkh.bé.rét מַחְבֶּרֶת

תָּמָר כָּתְבָה בַּמַּחְבֶּרֶת שֶׁלָּהּ.
Tamar wrote in her notebook.

frying pan **מַחֲבַת**
mahkh.vaht מַחֲבַת

לְמַחֲבַת יֵשׁ יָדִית אֲרֻכָּה.
A frying pan has a long handle.

pencil sharpener **מְחַדֵּד**
më.khah.déd מְחַדֵּד

אֲנִי מְחַדֵּד אֶת הָעִפָּרוֹן שֶׁלִּי בִּמְחַדֵּד.
I sharpen my pencil
with a pencil sharpener.

clock hands **מָחוֹג**
mah.khog מָחוֹג

בְּשָׁעוֹן יֵשׁ מָחוֹג גָּדוֹל וּמָחוֹג קָטָן.
The clock has a big hand
and a small hand.

needle **מַחַט**
mah.khaht מַחַט

אִמָּא תָּפְרָה כַּפְתּוֹר בְּחוּט וָמַחַט.
Mom sewed on a button
with a needle and thread.

dressed up מְחֻפָּשׂ
mĕ.khoo.pahs מְחֻפָּשׂ

בְּחַג פּוּרִים הָיִיתִי מְחֻפָּשׂ לְאִישׁ חָלָל.
For Purim I dressed up
as an astronaut.

eraser מַחַק
mah.khahk מַחַק

בְּמַחַק מוֹחֲקִים מַה שֶּׁכָּתוּב בְּעִפָּרוֹן.
We use an eraser to erase
what is written with a pencil.

tomorrow מָחָר
mah.khahr מָחָר

הַיּוֹם יוֹם שֵׁנִי. מָחָר יוֹם שְׁלִישִׁי.
Today is Monday.
Tomorrow will be Tuesday.

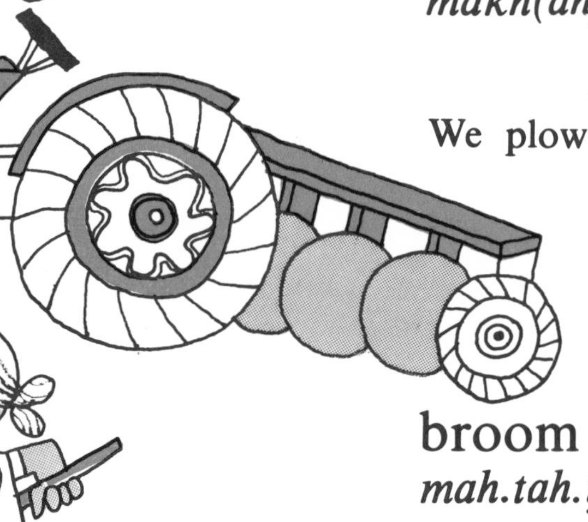

plow מַחֲרֵשָׁה
makh(ah).ré.shah מַחֲרֵשָׁה

בְּמַחֲרֵשָׁה חוֹרְשִׁים אֶת הָאֲדָמָה.
We plow the soil with a plow.

broom מַטְאֲטֵא
mah.tah.té (maht.ah.té) מַטְאֲטֵא

אָנוּ מְנַקִּים אֶת הָרִצְפָּה בְּמַטְאֲטֵא.
We clean the floor with a broom.

Food (מָזוֹן) אֹכֶל
o.khél (mah.zon)

א ב ג ד ה ו ז ח ט י כ ל מ נ ס ע פ צ ק ר ש ת

kitchen מִטְבָּח

meet.bahkh מִטְבָּח

אִמָּא מְבַשֶּׁלֶת בַּמִּטְבָּח.

Mom is cooking in the kitchen.

bed מִטָּה

mee.tah מִטָּה

עַל מִטָּה שׁוֹכְבִים לָנוּחַ אוֹ לִישׁוֹן.

We rest or sleep in bed.

airplane מָטוֹס

mah.tos מָטוֹס

טַסְתִּי בְּמָטוֹס מֵאָמֶרִיקָה לְיִשְׂרָאֵל.

I flew from America to Israel by airplane.

dust-cloth מַטְלִית

maht.leet מַטְלִית

הַנֶּהָג נִגֵּב אֶת חַלּוֹן הַמְּכוֹנִית בְּמַטְלִית.

The driver wiped the windshield with a dust-cloth.

shower מָטָר

mah.tahr מָטָר

מָטָר הוּא גֶּשֶׁם חָזָק.

A shower is a sudden, hard rainfall.

umbrella — **מִטְרִיָּה**
meet.ree.yah — מִטְרִיָּה

דָּוִד פָּתַח אֶת הַמִּטְרִיָּה כְּדֵי לֹא לְהֵרָטֵב.
David opened the umbrella so that he shouldn't get wet.

who — **מִי**
mee — מִי

מִי שָׁם? אַף אֶחָד.
מִי רוֹצֶה גְּלִידָה? אֲנִי.
"Who's there?" "No one."
"Who wants ice cream?" "Me!"

water — **מַיִם**
mah.yeem — מַיִם

הַיֶּלֶד שָׁתָה מַיִם מִן הַבֶּרֶז.
The boy drank water from the faucet.

(fruit) juice — **מִיץ**
meets — מִיץ

אִמָּא הֵכִינָה לִי כּוֹס מִיץ.
Mom made me a glass of (fruit) juice.

steam roller — **מַכְבֵּשׁ**
mahkh.bésh — מַכְבֵּשׁ

הַמַּכְבֵּשׁ מְיַשֵּׁר אֶת הַכְּבִישׁ הֶחָדָשׁ.
The steam roller levels the new road.

Seasons of the Year *o.<u>not</u> hah.shah.<u>nah</u>* עוֹנוֹת הַשָּׁנָה

hit **מַכָּה**

mah.kah *מַכָּה*

חָנָן קִבֵּל מַכָּה בַּמֵּצַח.

Hanan got hit on the forehead.

car **מְכוֹנִית**

më.kho.neet *מְכוֹנִית*

אַבָּא קָנָה מְכוֹנִית יְרֻקָּה.

Dad bought a green car.

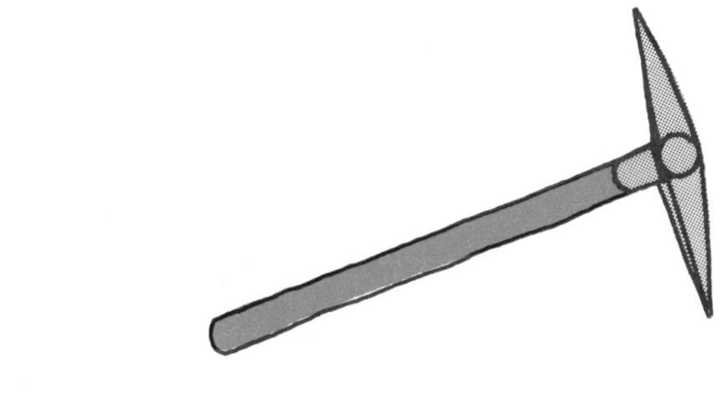

pick (axe) **מַכּוֹשׁ**

mah.kosh *מַכּוֹשׁ*

בְּמַכּוֹשׁ אֶפְשָׁר לְהוֹצִיא סְלָעִים וַאֲבָנִים.

We can dig out rocks and stones with a pick (axe).

paint brush **מִכְחוֹל**

meek.khol *מִכְחוֹל*

טָבַלְתִּי אֶת הַמִּכְחוֹל בְּצֶבַע וְצִיַּרְתִּי.

I dipped the paint brush into the color and painted.

grocery store **מַכֹּלֶת**

mah.ko.lét *מַכֹּלֶת*

בַּחֲנוּת מַכֹּלֶת קוֹנִים: לֶחֶם, זֵיתִים, שֶׁמֶן, גְּבִינָה וְעוֹד.

We can buy bread, olives, oil, cheese and other groceries at a grocery store.

pants מִכְנָסַיִם
meekh.nah.sah.yeem

יֵשׁ מִכְנָסַיִם אֲרֻכִּים וְיֵשׁ מִכְנָסַיִם קְצָרִים.
There are long pants and short pants.

sold מָכַר
mah.khahr

הַמּוֹכֵר בַּחֲנוּת מָכַר לִי סֵפֶר.
The salesman in the shop sold me a book.

מַכְשִׁירֵי חַשְׁמַל בַּבַּיִת
Household Electrical Appliances
mahkh.shee.rey khahsh.mahl bah.bah.yeet

מַגְהֵץ
iron
mahg.héts

radio *rahd.yo* רַדְיוֹ

קֻמְקוּם־חַשְׁמַלִּי
electric kettle
koom.koom khahsh.mah.lee

television *té.lé.veez.yah* טֶלֶוִיזְיָה

מְכוֹנַת־תְּפִירָה
sewing machine
më.kho.naht t(e)fee.rah

mixer *më.ahr.bél* מְעַרְבֵּל

refrigerator
mahk.rer מַקְרֵר

stove תַּנּוּר־בִּשּׁוּל
tah.noor bee.shool

מְכוֹנַת־כְּבִיסָה
washing machine
më.kho.naht k(e)vee.sah

letter — מִכְתָּב

meekh.tahv — מִכְתָּב

שָׁלַחְתִּי מִכְתָּב לְאָחִי בַּצָּבָא.

I sent a letter to my brother who is in the army.

full — מָלֵא

mah.lé — מָלֵא

הַסַּל מָלֵא פֵּרוֹת.

The basket is full of fruit.

blooming — מְלַבְלֵב

më.lahv.lév — מְלַבְלֵב

The tree is blooming. הָעֵץ מְלַבְלֵב.

dictionary — מִלּוֹן

mee.lon — מִלּוֹן

הַמִּלִּים שֶׁבַּמִּלּוֹן מְסֻדָּרוֹת לְפִי הָאָלֶפְבֵּית.

The words in a dictionary are arranged in the order of the letters of the alphabet.

dog-house — מְלוּנָה

më.loo.nah — מְלוּנָה

הַכֶּלֶב גָּר בַּמְּלוּנָה שֶׁלּוֹ.

The dog lives in his dog-house.

salt — מֶלַח

mé.lahkh

מֶלַח

מֶלַח מוֹסִיף טַעַם לָאֹכֶל.

Salt adds taste to food.

sailor — מַלָּח

mah.lahkh

מַלָּח

הַמַּלָּח מְנַקֶּה אֶת הָאֳנִיָּה וּמְטַפֵּל בָּהּ.

The sailor cleans the ship
and takes care of it.

king — מֶלֶךְ

mé.lékh

מֶלֶךְ

בְּיִשְׂרָאֵל אֵין מֶלֶךְ וְאֵין מַלְכָּה.

In Israel there is no king
and no queen.

cucumber — מְלָפְפוֹן

më.lah.fë.fon

מְלָפְפוֹן

מְלָפְפוֹן הוּא יָרָק יָרֹק שֶׁמְּגַדְּלִים בַּגִּנָּה.

A cucumber is a green vegetable
we grow in the garden.

sprinkler — מַמְטֵרָה

mahm.té.rah

מַמְטֵרָה

הַמַּמְטֵרָה מַשְׁקָה אֶת הַגִּנָּה.

The sprinkler waters the garden.

government — **מֶמְשָׁלָה**
mém.shah.lah — מֶמְשָׁלָה

הָאֲנָשִׁים בַּמֶּמְשָׁלָה נִקְרָאִים שָׂרִים.
The people in the government are called ministers.

sweet — **מַמְתָּק**
mahm.tahk — מַמְתָּק

סֻכָּרִיָּה הִיא מַמְתָּק.
גַּם שׁוֹקוֹלָדָה הִיא מַמְתָּק.
Candy is a sweet.
Chocolate is also a sweet.

tune — **מַנְגִּינָה**
mahn.guee.nah — מַנְגִּינָה

לְשִׁיר שֶׁשָּׁרִים יֵשׁ מִלִּים וְיֵשׁ מַנְגִּינָה.
A song that we sing has words and a tune.

course — **מָנָה**
mah.nah — מָנָה

אִמָּא הִגִּישָׁה בַּאֲרוּחַת הַצָּהֳרַיִם שָׁלֹשׁ מָנוֹת:
מָנָה רִאשׁוֹנָה, מָנָה עִקָּרִית וּמָנָה אַחֲרוֹנָה.
Mom served three courses at lunch: a first course, a main course and a dessert.

crane — **מָנוֹף**
mah.nof — מָנוֹף

הַפּוֹעֵל מַעֲלֶה אֶת הָאַרְגָּז בְּמָנוֹף.
The worker lifts the crate with a crane.

lamp — מְנוֹרָה

më.no.rah — מְנוֹרָה

הַמְּנוֹרָה נוֹתֶנֶת אוֹר.

A lamp gives light.

lock — מַנְעוּל

mahn.ool — מַנְעוּל

הָאוֹפַנַּיִם שֶׁל עֲדִי נְעוּלִים בְּמַנְעוּל.

Adi secured his bicycle with a lock.

winner — מְנַצֵּחַ

më.nah.tsé.ahkh — מְנַצֵּחַ

אָחִי מְנַצֵּחַ בְּמִשְׂחָקִים.

אֶסְתֵּר הָיְתָה הַמְּנַצַּחַת בְּתַחֲרוּת הָרִיצָה.

My brother is the winner at games.

Esther was the winner in the race.

welder — מַסְגֵּר

mahs.guér — מַסְגֵּר

הַמַּסְגֵּר תִּקֵּן לָנוּ אֶת הַמַּנְעוּל שֶׁל הַדֶּלֶת.

The welder fixed the lock on the door.

helicopter — מַסּוֹק

mah.sok — מַסּוֹק

מַסּוֹק יָכוֹל לִנְחוֹת כִּמְעַט בְּכָל מָקוֹם.

A helicopter can land in almost any spot.

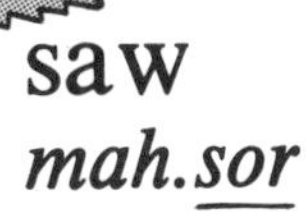

saw מַסּוֹר

mah.sor מַסּוֹר

הַנַּגָּר נִסֵּר קֶרֶשׁ בְּמַסּוֹר.

The carpenter cut up the board with a saw.

mask מַסֵּכָה

mah.sé.khah מַסֵּכָה

חַיִּים שָׂם מַסֵּכָה עַל הַפָּנִים.

Haim put a mask over his face.

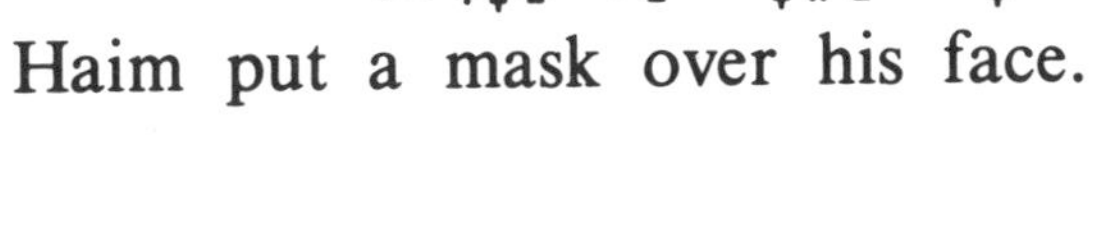

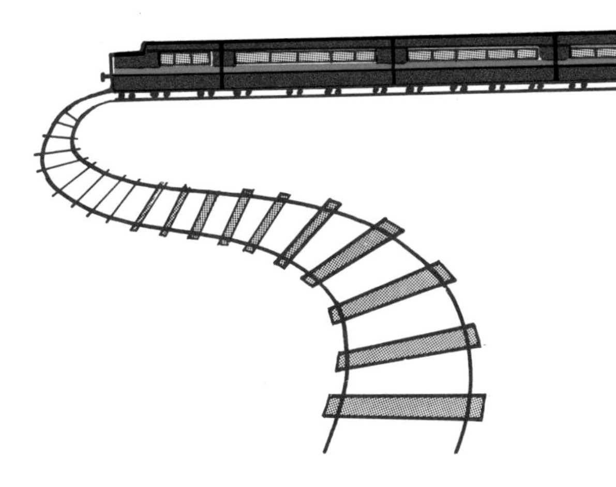

railway tracks מְסִלַּת בַּרְזֶל

më.see.laht bahr.zél מְסִלַּת בַּרְזֶל

הַגַּלְגַּלִּים שֶׁל הָרַכֶּבֶת
מִתְגַּלְגְּלִים עַל מְסִלַּת הַבַּרְזֶל.

The wheels of the train move along the railway tracks.

number מִסְפָּר

mees.pahr מִסְפָּר

יֵשׁ הַרְבֵּה מְאֹד מִסְפָּרִים:
...4,3,2,1,0 וְעַד אֵין סוֹף.

There are many numbers:
0, 1, 2, 3, 4... and so on.

מספרה

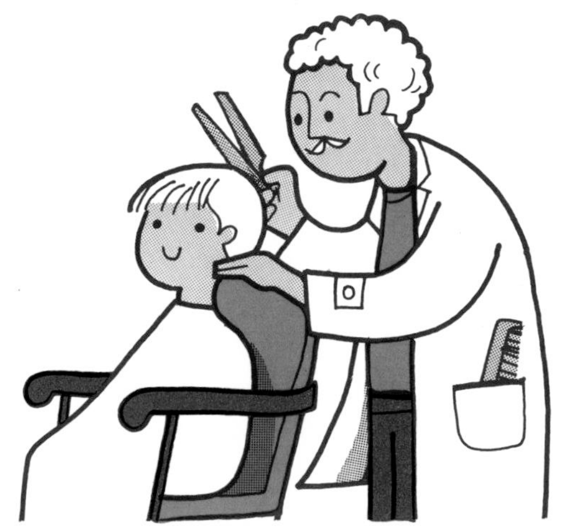

barber shop מִסְפָּרָה

mees.pah.rah מִסְפָּרָה

אֲנִי מִסְתַּפֵּר בְּמִסְפָּרָה.

I have my hair cut in a barber shop.

scissors **מִסְפָּרַיִם**

mees.pah.rah.yeem מִסְפָּרַיִם

הַסַּפָּר גָּזַר לִי אֶת הַשְּׂעָרוֹת בְּמִסְפָּרַיִם.

The barber cut my hair
with scissors.

comb **מַסְרֵק**

mahs.rék מַסְרֵק

כָּל בֹּקֶר אֲנִי מִסְתָּרֶקֶת בְּמַסְרֵק.

Every morning I use a comb
on my hair.

crosswalk **מַעֲבַר־חֲצִיָּה**

mah.ah.vahr khah.tsee.yah

מַעֲבַר־חֲצִיָּה

אֲנָשִׁים חוֹצִים (עוֹבְרִים) אֶת הַכְּבִישׁ
בְּמַעֲבַר־חֲצִיָּה.

People go across the street
at the crosswalk.

circle **מַעְגָּל**

mah.ah.gal מַעְגָּל

הַיְלָדִים רָקְדוּ בְּמַעְגָּל.

The children danced in a circle.

hoe **מַעְדֵּר**

mah.ah.dér מַעְדֵּר

אַבָּא עוֹדֵר אֶת הַגִּנָּה בַּמַּעְדֵּר הַגָּדוֹל,
וַאֲנִי בַּמַּעְדֵּר הַקָּטָן.

Dad works in the garden
with a big hoe, and I use
a small hoe.

envelope מַעֲטָפָה
mah.ah.tah.fah מַעֲטָפָה

עַל מַעֲטָפָה כּוֹתְבִים שֵׁם וּכְתֹבֶת וּמַדְבִּיקִים בּוּל.

On an envelope
we write a name and an address,
and then we put a stamp on.

coat מְעִיל
më.eel מְעִיל

הַמְּעִיל מְחַמֵּם אֶת הַגּוּף בְּיוֹם קַר.

A coat warms the body
on a cold day.

rolling pin מַעֲרוֹךְ
mah.ah.rokh מַעֲרוֹךְ

הָאוֹפֶה מְגַלְגֵּל אֶת הַמַּעֲרוֹךְ עַל הַבָּצֵק.

The baker rolls the rolling pin
over the dough.

tablecloth מַפָּה
mah.pah מַפָּה

אָנוּ שָׂמִים מַפָּה עַל הַשֻּׁלְחָן.

We put a tablecloth on the table.

scattered מְפֻזָּר
më.foo.zahr מְפֻזָּר

הַצַּעֲצוּעִים שֶׁל שָׁאוּל מְפֻזָּרִים.

Shaul's toys are scattered about.

because **מִפְּנֵי שֶׁ...**

mee.p(e)ney shé... מִפְּנֵי שֶׁ...

מַדּוּעַ אַתָּה לֹא לוֹקֵחַ מִטְרִיָּה?
מִפְּנֵי שֶׁאֵין גֶּשֶׁם.

"Why don't you take an umbrella?"
"Because it isn't raining."

key **מַפְתֵּחַ**

maf.té.ahkh מַפְתֵּחַ

אַבָּא נָעַל בְּמַפְתֵּחַ אֶת דֶּלֶת הַכְּנִיסָה.

Dad locked the front door
with a key.

found **מָצָא**

mah.tsah מָצָא

יוֹאֵל מָצָא אַרְנָק בַּחֲצַר בֵּית־הַסֵּפֶר.

Yoel found a purse
in the school yard.

matza **מַצָּה**

mah.tsah מַצָּה

בְּחַג הַפֶּסַח, אָנוּ אוֹכְלִים מַצָּה
בִּמְקוֹם לֶחֶם.

We eat matza
instead of bread on Pesach.

camera **מַצְלֵמָה**

mahts.lé.mah מַצְלֵמָה

אָנוּ מְצַלְּמִים תְּמוּנוֹת בְּמַצְלֵמָה.

We take pictures with a camera.

bill מַקּוֹר
mah.kor מַקּוֹר

לַחֲסִידָה יֵשׁ מַקּוֹר אָרֹךְ.
A stork has a long bill.

stork's bill מַקּוֹר-הַחֲסִידָה
mah.kor-hah.khah.see.dah
מַקּוֹר-הַחֲסִידָה

לַצֶּמַח, שֶׁקּוֹרְאִים לוֹ מַקּוֹר-הַחֲסִידָה,
יֵשׁ פְּרִי הַדּוֹמֶה לְמַקּוֹר שֶׁל חֲסִידָה.
The plant we call "stork's bill"
has a fruit that looks like the bill
of a stork.

shower מִקְלַחַת
meek.lah.khaht מִקְלַחַת

בַּקַּיִץ אֲנִי מִתְקַלֵּחַ בְּמִקְלַחַת קָרָה,
וּבַחֹרֶף בְּמִקְלַחַת חַמָּה.
In summer I take a cold shower,
in winter a hot one.

shelter מִקְלָט
meek.laht מִקְלָט

הַמִּקְלָט בָּנוּי מִקִּירוֹת עָבִים.
הוּא נִמְצָא בְּדֶרֶךְ כְּלָל בְּתוֹךְ הָאֲדָמָה.
A shelter has thick walls,
and it is usually underground.

Professions מִקְצוֹעוֹת
meek.tso.ot
רַקְדָנִית
dancer
rahk.dah.neet
mailman דַּוָּר
dah.vahr
barber סַפָּר
sah.pahr
painter צַבָּע
tsah.bah
baker אוֹפֶה
o.féh
cook tah.bahkh טַבָּח
driver né.hahg נֶהָג
nurse אָחוֹת
ah.khot
shoemaker סַנְדְּלָר
sahn.d(e)lahr
fisherman dah.yahg דַּיָּג
carpenter nah.gahr נַגָּר
doctor ro.fé רוֹפֵא

refrigerator — מַקְרֵר
mahk.rér — מַקְרֵר

בַּמַּקְרֵר מַחֲזִיקִים אֹכֶל קַר.
The refrigerator keeps food cold.

wheelbarrow — מְרִיצָה
më.ree.tsah — מְרִיצָה

הַגַּנָּן מֵבִיא אֲדָמָה לַגִּנָּה בִּמְרִיצָה.
The gardener brings soil
to the garden in a wheelbarrow.

poet — מְשׁוֹרֵר
më.sho.rér — מְשׁוֹרֵר

הַמְשׁוֹרֵר כּוֹתֵב שִׁירִים לִילָדִים וְלִמְבֻגָּרִים.
The poet writes poems for children
and grown-ups.

family — מִשְׁפָּחָה
meesh.pah.khah — מִשְׁפָּחָה

אַבָּא, אִמָּא וְהַיְלָדִים הֵם מִשְׁפָּחָה.
Dad, Mom and the children
are the family.

funnel — מַשְׁפֵּךְ
mahsh.pékh — מַשְׁפֵּךְ

הַמַּשְׁפֵּךְ רָחָב לְמַעְלָה וְצַר לְמַטָּה.
A funnel is wide on top and
narrow at the bottom.

glasses **מִשְׁקָפַיִם**

meesh.kah.fah.yeem מִשְׁקָפַיִם

מִשְׁקָפַיִם מַרְכִּיבִים עַל הָעֵינַיִם.

We wear glasses over our eyes.

field glasses **מִשְׁקֶפֶת**

meesh.ké.fét. מִשְׁקֶפֶת

בְּמִשְׁקֶפֶת הַכֹּל נִרְאֶה קָרוֹב וְגָדוֹל,
אֲפִלּוּ דְּבָרִים שֶׁנִּמְצָאִים רָחוֹק.

Field glasses make things look big and clear even if they are far away.

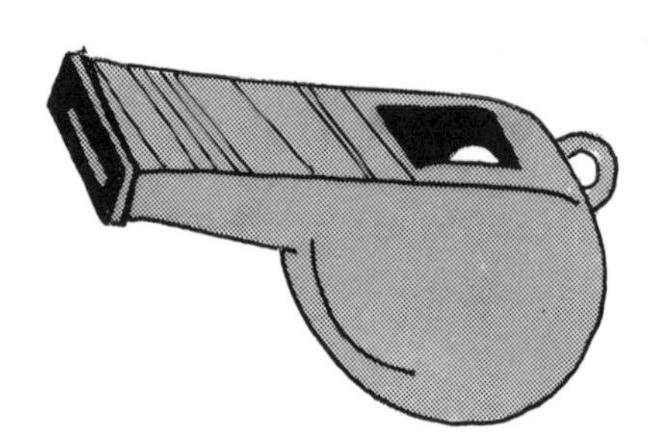

whistle **מַשְׁרוֹקִית**

mahsh.ro.keet מַשְׁרוֹקִית

הַשּׁוֹפֵט בְּמִשְׂחַק הַכַּדּוּרֶגֶל
שׁוֹרֵק בְּמַשְׁרוֹקִית.

The referee blows his whistle at a football game.

died **מֵת**

mét מֵת

סַבָּא שֶׁל יִצְחָק מֵת לִפְנֵי שָׁנָה.

Yitskhak's grandfather died a year ago.

sweet **מָתוֹק**

mah.tok מָתוֹק

אִם מוֹסִיפִים סֻכָּר לָאֹכֶל,
הוּא מְקַבֵּל טַעַם מָתוֹק.

Sugar added to food gives it a sweet taste.

when — **מָתַי**
mah.tie — מָתַי

מָתַי אַתָּה חוֹזֵר? בְּעוֹד שָׁעָה.
"When are you coming back?"
"In an hour."

present — **מַתָּנָה**
mah.tah.nah — מַתָּנָה

נִירָה קִבְּלָה מַתָּנָה יָפָה.
Nira got a lovely present.

Matan Torah — **מַתַּן־תּוֹרָה**
mah.tahn to.rah — מַתַּן־תּוֹרָה

מַתַּן־תּוֹרָה הוּא שֵׁם אַחֵר לְחַג הַשָּׁבוּעוֹת.
Matan Torah is another name
for the holiday of Shavuot.

nice — **נָאֶה**
nah.éh — נָאֶה

יֵשׁ לִי חֶדֶר נָאֶה.
קִשַּׁטְתִּי אוֹתוֹ בִּתְמוּנוֹת.
I have a nice room.
I decorated it with pictures.

barked — **נָבַח**
nah.vahkh — נָבַח

The dog barked. — הַכֶּלֶב נָבַח.

wilted **נָבַל**

nah.vahl נָבַל

הַשָּׁתִיל בַּגִּנָּה נָבַל מִן הַחֹם.

The plant in the garden has wilted from the heat.

carpenter **נַגָּר**

nah.gahr נַגָּר

הַנַּגָּר עוֹשֶׂה רָהִיטִים.

The carpenter makes furniture.

carpentry shop **נַגָּרִיָּה**

nah.gah.ree.yah נַגָּרִיָּה

בֵּית־הַמְּלָאכָה שֶׁל הַנַּגָּר נִקְרָא נַגָּרִיָּה.

We call the carpenter's workshop a carpentry shop.

see-saw **נַדְנֵדָה**

nahd.né.dah נַדְנֵדָה

יְלָדִים אוֹהֲבִים לְהִתְנַדְנֵד בְּנַדְנֵדָה.

Children love to rock on a see-saw.

driver **נֶהָג**

né.hahg נֶהָג

נֶהָג הוּא אִישׁ הַנּוֹהֵג בִּמְכוֹנִית.

A driver is someone who drives cars.

river — **נָהָר**
nah.hahr — נָהָר

הַיַּרְדֵּן הוּא נָהָר הַזּוֹרֵם
מֵהָרֵי הַלְּבָנוֹן וְעַד יָם־הַמֶּלַח.

The Jordan is a river that flows from the mountains of Lebanon into the Dead Sea.

feather — **נוֹצָה**
no.tsah — נוֹצָה

גַּבִּי מָצָא נוֹצָה שֶׁל צִפּוֹר.

Gabby found a bird's feather.

light bulb — **נוּרָה**
noo.rah — נוּרָה

לַנּוּרָה צוּרָה שֶׁל אַגָּס
וְהִיא עֲשׂוּיָה מִזְּכוּכִית.

A light bulb is usually pear-shaped and is made of glass.

crowsfoot — **נוּרִית**
noo.reet — נוּרִית

נוּרִית הִיא פֶּרַח אָדֹם הַגָּדֵל בַּשָּׂדֶה וּבַגַּן.

A crowsfoot is a red flower that grows wild in the field and in the garden.

rest — **נָח**
nahkh — נָח

אֲנִי נָח אַחֲרֵי הַצָּהֳרַיִם כִּי אֲנִי עָיֵף.

I rest in the afternoon because I am tired.

בַּעֲלֵי־הַחַיִּים בַּמֶּשֶׁק וּבֵיתָם
sheep's pen
דִּיר
deer
sheep
כֶּבֶשׂ
ké.vés
יוֹנָה dove
yo.nah
סוּס
horse
soos
duck בַּרְוָז
bahr.vahz
בַּרְוָזִיָּה
duck pen
bahr.vah.zee.yah
goose pen
אַוָּזִיָּה
ah.vah.zee.yah
אַוָּז goose
ah.vahz
דְּבוֹרָה bee
d(e)vo.rah
beehive
כַּוֶּרֶת kah.vé.rét

Livestock and their Homes on the Farm

bah.ah.ley hah.khah.yeem bah.mé.shék oo.vey.tahm

hodee. yah הוֹדִיָּה turkey coop

stream נַחַל
nah.khal
נַחַל

הַנַּחַל צַר וְקָטָן מִן הַנָּהָר.
A stream is narrower and smaller than a river.

wagtail נַחֲלִיאֵלִי
nahkh.lee.é.lee
נַחֲלִיאֵלִי

הַנַּחֲלִיאֵלִי בָּא לְיִשְׂרָאֵל בַּסְּתָו.
The wagtail comes to Israel in the autumn.

snake נָחָשׁ
nah.khahsh
נָחָשׁ

לַנָּחָשׁ אֵין רַגְלַיִם וְהוּא זוֹחֵל עַל הַבֶּטֶן.
The snake hasn't any legs, and it crawls on its belly.

paper נְיָר
nee.yahr
נְיָר

עַל נְיָר כּוֹתְבִים וּמְצַיְּרִים.
We write and draw on paper.

right נָכוֹן
nah.khon
נָכוֹן

דָּוִד פָּתַר נָכוֹן אֶת תַּרְגִּילֵי הַחֶשְׁבּוֹן,
וְקִבֵּל תְּשׁוּבָה נְכוֹנָה.
David solved the math problem and got the right answer.

dozed **נָם**

nahm נָם

דָּן קָרָא סִפּוּר: הַמֶּלֶךְ נָם — הוּא יָשֵׁן בָּאַרְמוֹן...

Dan read a story:
"The king is dozing.
He is sleeping in his palace...."

port **נָמֵל**

nah.mél נָמֵל

הָאֲנָשִׁים עָלוּ לָאֳנִיָּה בַּנָּמֵל שֶׁל חֵיפָה.

The people boarded the ship
at Haifa Port.

airport **נְמַל תְּעוּפָה**

në.mal të.oo.fah נְמַל תְּעוּפָה

חִכִּיתִי בִּנְמַל הַתְּעוּפָה בֶּן־גּוּרְיוֹן
לְסַבָּא שֶׁהִגִּיעַ מֵאַנְגְּלִיָּה.

I waited at Ben-Gurion Airport
for Grandfather, who was arriving
from England.

ant **נְמָלָה**

në.mah.lah נְמָלָה

נְמָלָה חַיָּה בְּתוֹךְ הַקֵּן.

An ant lives in an ant-heap.

tiger **נָמֵר**

nah.mér נָמֵר

הַנָּמֵר יָכוֹל לְטַפֵּס עַל עֵצִים.

The tiger can climb trees.

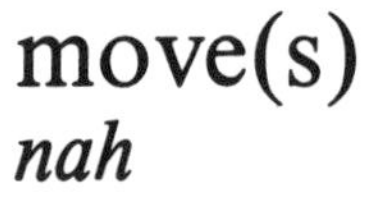

move(s) **נָע**
nah נָע

הַמַּכְבֵּשׁ נָע עַל הַכְּבִישׁ;
הוּא נוֹסֵעַ קָדִימָה וַאֲחוֹרָה.
The steamroller moves on the road;
it travels forward and backward.

shoe **נַעַל**
nah.ahl נַעַל

יֵשׁ לִי זוּג נַעֲלַיִם:
נַעַל יְמָנִית וְנַעַל שְׂמָאלִית.
I have a pair of shoes:
a right shoe and a left shoe.

got lost **נֶעֱלַם**
né.ë.lahm נֶעֱלַם

הַמַּפְתֵּחַ שֶׁל הַבַּיִת נֶעֱלַם.
The key to the house got lost.

youth **נַעַר**
nah.ahr נַעַר

יִזְהָר הוּא נַעַר בֶּן חֲמֵשׁ עֶשְׂרֵה.
Yizhar is a youth of fifteen.

fell **נָפַל**
nah.fahl נָפַל

יָרִיב נִתְקַל בְּאֶבֶן וְנָפַל.
Yariv tripped over a stone and fell.

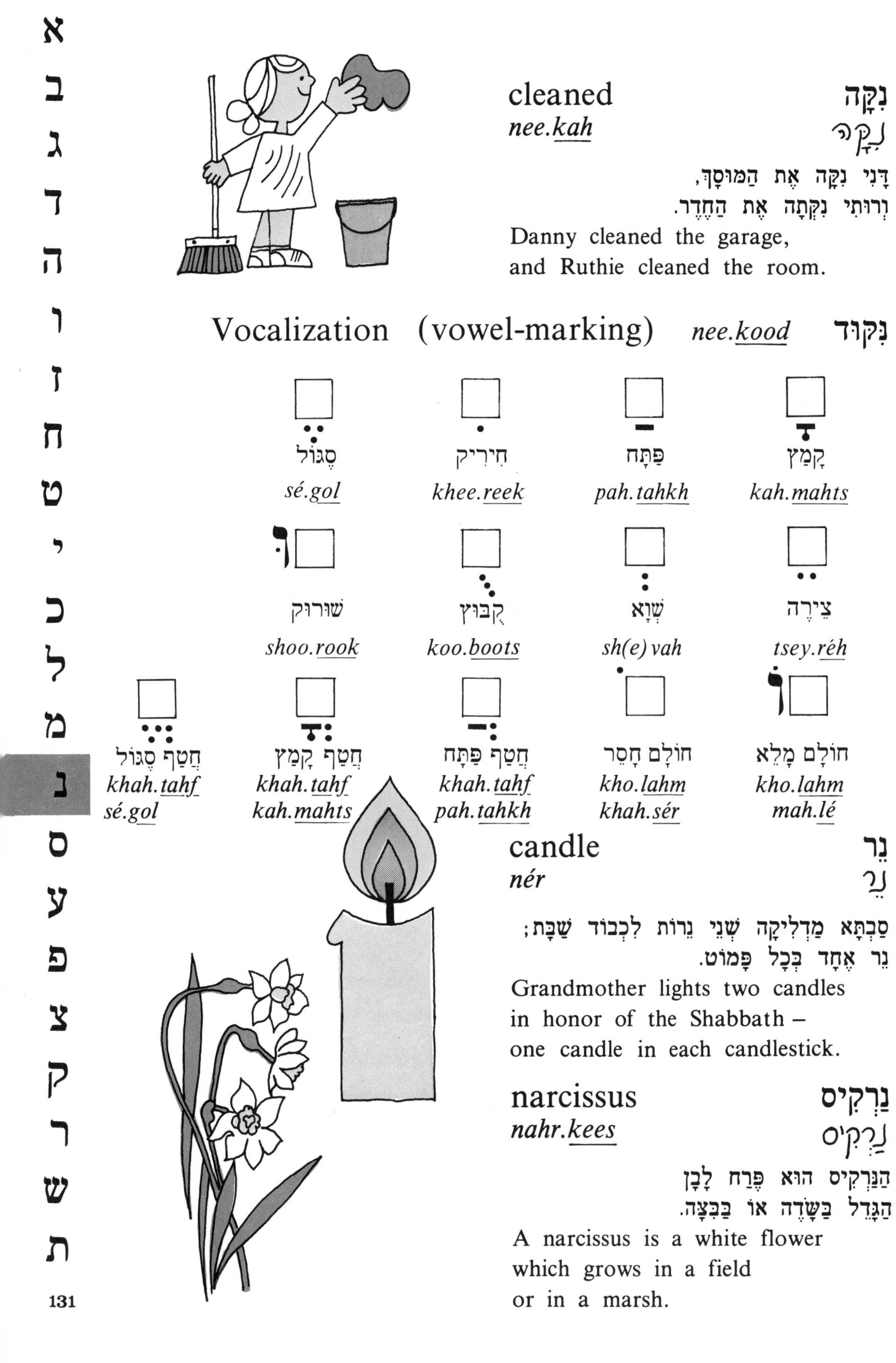

נִקָּה **cleaned**
nee.kah

דָּנִי נִקָּה אֶת הַמּוּסָךְ,
וְרוּתִי נִקְּתָה אֶת הַחֶדֶר.
Danny cleaned the garage,
and Ruthie cleaned the room.

נִקּוּד **Vocalization (vowel-marking)** *nee.kood*

קָמַץ *kah.mahts*	פַּתָּח *pah.tahkh*	חִירִיק *khee.reek*	סֶגּוֹל *sé.gol*
צֵירֶה *tsey.réh*	שְׁוָא *sh(e)vah*	קֻבּוּץ *koo.boots*	שׁוּרוּק *shoo.rook*
חוֹלָם מָלֵא *kho.lahm mah.lé*	חוֹלָם חָסֵר *kho.lahm khah.sér*	חֲטַף פַּתָּח *khah.tahf pah.tahkh*	חֲטַף קָמַץ *khah.tahf kah.mahts*
חֲטַף סֶגּוֹל *khah.tahf sé.gol*			

נֵר **candle**
nér

סַבְתָּא מַדְלִיקָה שְׁנֵי נֵרוֹת לִכְבוֹד שַׁבָּת;
נֵר אֶחָד בְּכָל פָּמוֹט.
Grandmother lights two candles
in honor of the Shabbath –
one candle in each candlestick.

נַרְקִיס **narcissus**
nahr.kees

הַנַּרְקִיס הוּא פֶּרַח לָבָן
הַגָּדֵל בַּשָּׂדֶה אוֹ בַּבִּצָּה.
A narcissus is a white flower
which grows in a field
or in a marsh.

president נָשִׂיא
nah.see נָשִׂיא

חַיִּים וַיְצְמַן הָיָה הַנָּשִׂיא הָרִאשׁוֹן
שֶׁל מְדִינַת יִשְׂרָאֵל.

Chaim Weitzmann
was the first president of Israel.

eagle נֶשֶׁר
né.shér נֶשֶׁר

הַנֶּשֶׁר נִמְצָא בָּאָרֶץ שֶׁלָּנוּ
בְּמֶשֶׁךְ כָּל הַשָּׁנָה.

The eagle is to be found
in our land all the year round.

gave נָתַן
nah.tahn נָתַן

אַבָּא נָתַן לִי נְשִׁיקָה,
וְשִׁירְלִי נָתְנָה לְאִמָּא נְשִׁיקָה.

Dad gave me a kiss
and Shirley gave Mom a kiss.

Grandfather סַבָּא
sah.bah סַבָּא

סַבָּא יַעֲקֹב הוּא אַבָּא שֶׁל אַבָּא שֶׁלִּי.

Grandfather Jacob
is Dad's father.

soap סַבּוֹן
sah.bon סַבּוֹן

הַיֶּלֶד מִתְרַחֵץ בְּמַיִם וְסַבּוֹן.

The boy is washing himself
with soap and water.

dreidle/top סְבִיבוֹן
s(e)vee.von סְבִיבוֹן

עַל הַסְּבִיבוֹן כָּתוּב: נֵס גָּדוֹל הָיָה פֹּה.
It is written on the dreidle:
"A great miracle happened here."

yellow-weed סַבְיוֹן
sahv.yon סַבְיוֹן

הַסַּבְיוֹן הוּא פֶּרַח צָהֹב הַפּוֹרֵחַ בַּחֹרֶף.
The yellow-weed is a yellow flower
that blooms in the winter.

mover/porter סַבָּל
sah.bahl סַבָּל

לַסַּבָּל יֵשׁ הַרְבֵּה כֹּחַ.
The porter is very strong.

Grandmother סַבְתָּא
sahv.tah סַבְתָּא

סַבְתָּא צִפּוֹרָה הִיא אִמָּא שֶׁל אִמָּא שֶׁלִּי.
Grandmother Tsipora
is Mom's mother.

sheet סָדִין
sah.deen סָדִין

אִמָּא מְכַסָּה אֶת הַמִּזְרוֹן בְּסָדִין.
Mom covers the mattress
with a sheet.

order סֵדֶר
sé.dér סֵדֶר

רָן עָשָׂה סֵדֶר בַּחֶדֶר שֶׁלּוֹ;
הוּא שָׂם בַּחֲזָרָה אֶת הַקֻּבִּיּוֹת בַּמְּגֵרָה.
Ran set his room in order:
he put the blocks back
in the drawer.

usher סַדְרָן
sahd.rahn סַדְרָן

הַסַּדְרָן עוֹזֵר לָנוּ לִמְצֹא אֶת מְקוֹם
הַיְשִׁיבָה בַּקּוֹלְנֹעַ אוֹ בַּתֵּיאַטְרוֹן.
An usher helps us find our seat
at the movies or at the theatre.

secret סוֹד
sod סוֹד

יָעֵל לָחֲשָׁה לִי סוֹד בָּאֹזֶן.
Yael whispered a secret in my ear.

horse סוּס
soos סוּס

הָאָדָם רוֹכֵב עַל הַסּוּס מִמָּקוֹם לְמָקוֹם.
A person can ride from place
to place on a horse.

end סוֹף
sof סוֹף

גִּיל קָרָא בַּסֵּפֶר מִן הַהַתְחָלָה וְעַד הַסּוֹף.
Gil read the book
from the beginning to the end.

donut — **סֻפְגָּנִיָּה**

soof.gah.nee.yah — סֻפְגָּנִיָּה

סֻפְגָּנִיָּה הִיא עוּגָה עֲגֻלָּה
שֶׁאוֹכְלִים בַּחֲנֻכָּה.

A donut is a round cake
that we eat at Hanukah.

writer — **סוֹפֵר**

so.fér — סוֹפֵר

הַסּוֹפֵר עַגְנוֹן כָּתַב סִפּוּרִים נִפְלָאִים.

Agnon was a writer who wrote
wonderful stories.

pot — **סִיר**

seer — סִיר

סִיר הוּא כְּלִי שֶׁמְּבַשְּׁלִים בּוֹ אֹכֶל.

A pot is a utensil
in which we cook food.

boat — **סִירָה**

see.rah — סִירָה

הַסִּירָה שָׁטָה עַל פְּנֵי הַמַּיִם.

The boat sails on the water.

pin — **סִכָּה**

see.kah — סִכָּה

הַסִּכָּה דּוֹמָה לְמַחַט,
אֲבָל אִי־אֶפְשָׁר לִתְפֹּר בָּהּ.

A pin is like a needle,
but you can't sew with it.

א
ב
ג
ד
ה
ו
ז
ח
ט
י
כ
ל
מ
נ
ס
ע
פ
צ
ק
ר
ש
ת

succah סֻכָּה

soo.kah סֻכָּה

סַבָּא בָּנָה סֻכָּה, וְהַיְלָדִים עָזְרוּ לוֹ.

Grandfather built a succah
and the children helped him.

Succot סֻכּוֹת

soo.kot סֻכּוֹת

בְּסֻכּוֹת בּוֹנִים סֻכָּה וּמְבָרְכִים עַל אַרְבַּעַת הַמִּינִים: אֶתְרוֹג, לוּלָב, הֲדַס וַעֲרָבָה.

We build a succah for the holiday
of Succot and we bless
the four species:
Ethrog, Lulav, Hadass and Aravah.

knife סַכִּין

sah.keen סַכִּין

אִמָּא חָתְכָה בְּסַכִּין אֶת הַיְרָקוֹת לַסָּלָט.

Mom used a knife
to cut the vegetables for the salad.

danger סַכָּנָה

sah.kah.nah סַכָּנָה

סַכָּנָה! אָסוּר לִשְׂחוֹת בַּיָּם כְּשֶׁאֵין מַצִּיל.

Danger! No swimming in the sea
without a lifeguard!

sugar סֻכָּר

soo.kahr סֻכָּר

הַסֻּכָּר נוֹתֵן טַעַם מָתוֹק לָאֹכֶל.

Sugar gives food a sweet taste.

א ב ג ד ה ו ז ח ט י כ ל מ נ **ס** ע פ צ ק ר ש ת

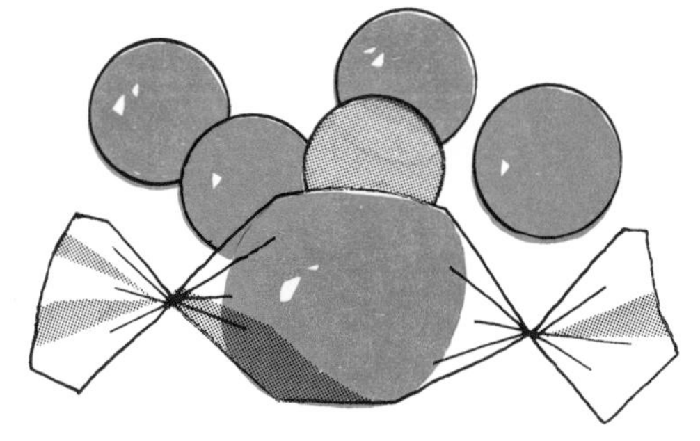

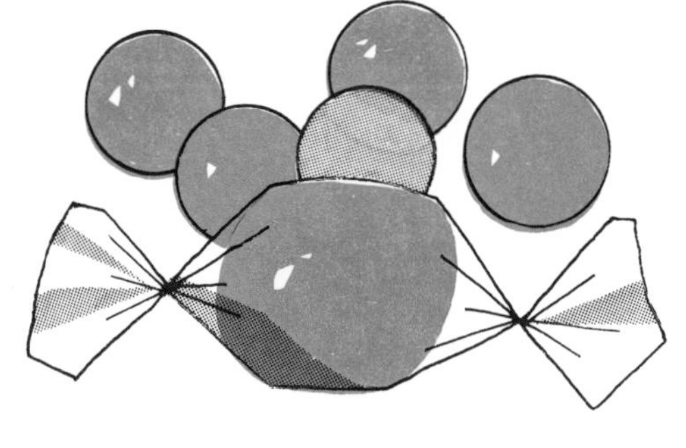

candy **סֻכָּרִיָּה**
soo.kah.ree.yah סֻכָּרִיָּה

יֵשׁ לִי סֻכָּרִיָּה אֲדֻמָּה בַּפֶּה.
I have a red piece of candy in my mouth.

basket **סַל**
sahl סַל

בַּסַּל שָׂמִים דְּבָרִים שֶׁקּוֹנִים בַּחֲנוּת.
We put things we buy at a shop in a basket.

Excuse me **סְלִיחָה**
s(e)lee.khah סְלִיחָה

סְלִיחָה אִמָּא, אֲנִי מִצְטַעֵר מְאֹד שֶׁהֵעַרְתִּי אוֹתָךְ מֵהַשֵּׁנָה.
Excuse me, Mom , I am very sorry I woke you up!

paved **סָלַל**
sah.lahl סָלַל

הַפּוֹעֵל סָלַל כְּבִישׁ חָדָשׁ.
The worker paved a new road.

ladder **סֻלָּם**
soo.lahm סֻלָּם

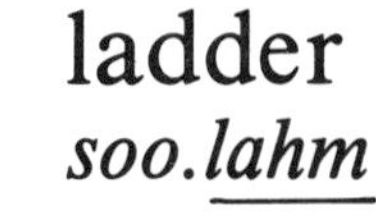

הַצַּבָּע עוֹלֶה וְיוֹרֵד בַּסֻּלָּם.
The painter goes up and down the ladder.

rock סֶלַע
sé.lah
סֶלַע

יוֹסִי טִפֵּס עַל הַסֶּלַע הַגָּבֹהַּ.
Yossi climbed the high rock.

beet סֶלֶק
sé.lék
סֶלֶק

סֶלֶק הוּא יָרָק סָגֹל שֶׁמְּגַדְּלִים בַּגִּנָּה.
A beet is a purple vegetable we grow in the garden.

sergeant סַמָּל
sah.mahl
סַמָּל

לַסַּמָּל יֵשׁ שְׁלֹשָׁה סְרָטִים עַל הַשַּׁרְווּל.
The sergeant wears three stripes on his sleeve.

emblem סֵמֶל
sé.mél
סֵמֶל

הַסֵּמֶל שֶׁל מְדִינַת יִשְׂרָאֵל הוּא מְנוֹרָה וְעַנְפֵי זַיִת.
The emblem of the State of Israel is a menorah with an olive branch.

squirrel סְנָאִי
s(e)nah.ee
סְנָאִי

לַסְּנָאִי יֵשׁ זָנָב אָרֹךְ וְשָׂעִיר.
A squirrel has a long, bushy tail.

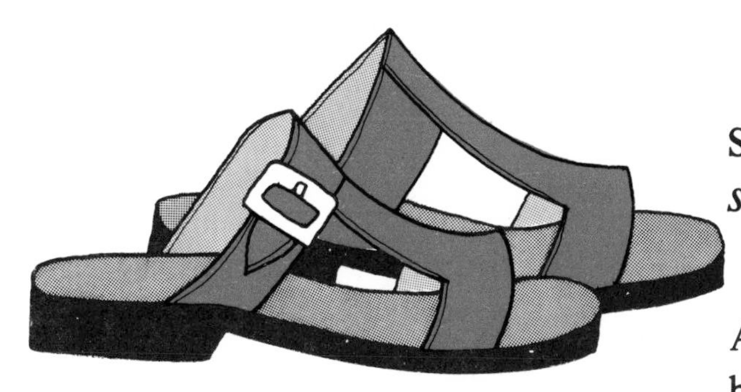

sandal סַנְדָּל

sahn.dahl סַנְדָּל

הַסַּנְדָּל דּוֹמֶה לְנַעַל אֲבָל הוּא פָּתוּחַ.

A sandal is like a shoe, but it is open.

shoemaker סַנְדְּלָר

sahn.d(e)lahr סַנְדְּלָר

הַסַּנְדְּלָר עוֹבֵד בַּסַּנְדְּלָרִיָּה.

The shoemaker works in a shoe repair shop.

swallow סְנוּנִית

s(e)noo.neet סְנוּנִית

הַסְּנוּנִית נִמְצֵאת בְּיִשְׂרָאֵל בְּמֶשֶׁךְ כָּל הַשָּׁנָה.

The swallow is found all the year round in Israel.

apron סִנּוֹר

see.nor סִנּוֹר

סִנּוֹר לוֹבְשִׁים עַל הַבְּגָדִים כְּדֵי שֶׁיִּשָּׁמְרוּ נְקִיִּים.

We wear an apron over our clothes to keep them clean.

fin סְנַפִּיר

s(e)nah.peer סְנַפִּיר

הַסְּנַפִּיר הוּא אֵבֶר בְּגוּף הַדָּג.

A fin is part of a fish's body.

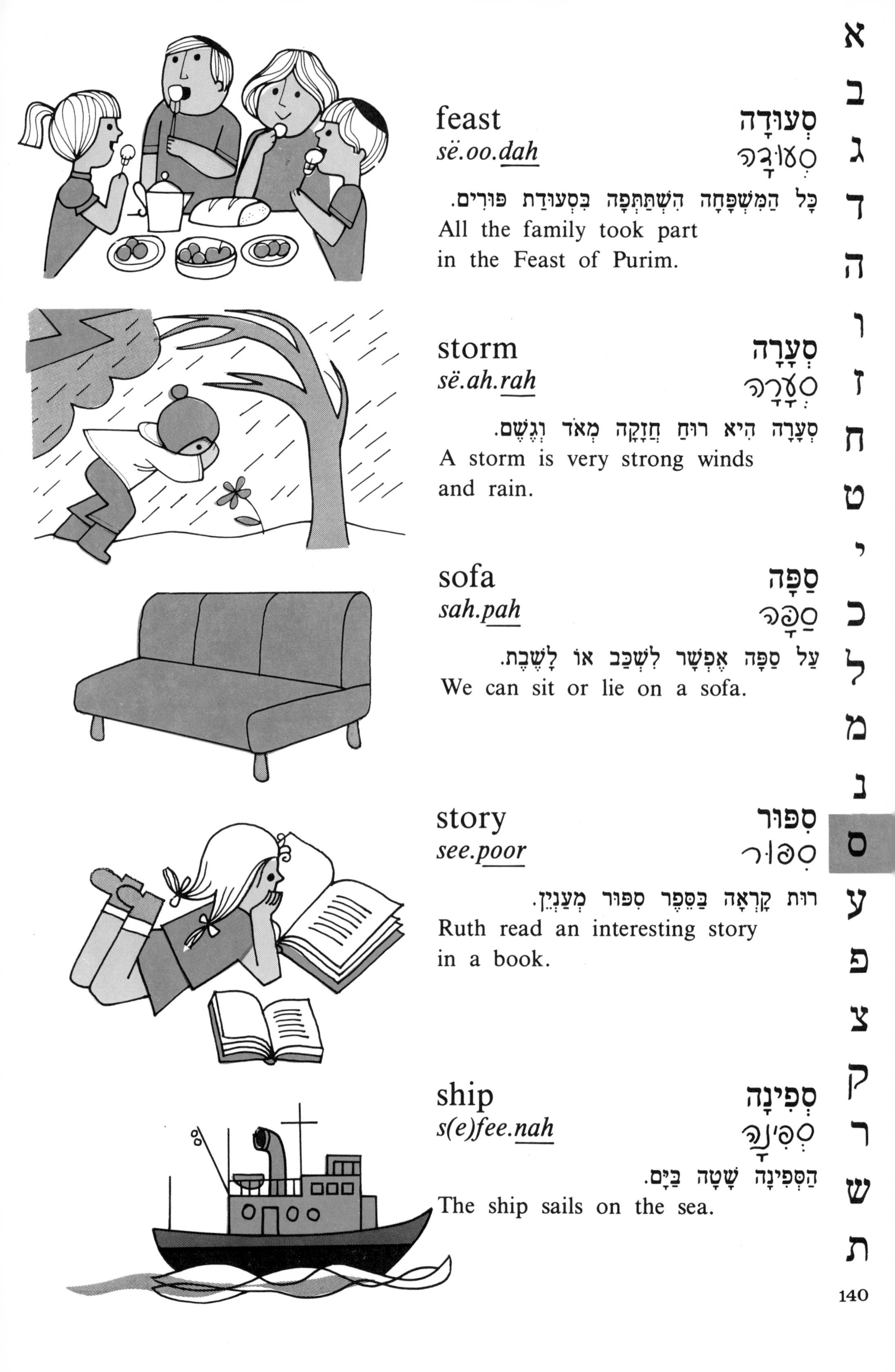

feast סְעוּדָה
së.oo.dah סְעוּדָה

כָּל הַמִּשְׁפָּחָה הִשְׁתַּתְּפָה בִּסְעוּדַת פּוּרִים.
All the family took part
in the Feast of Purim.

storm סְעָרָה
së.ah.rah סְעָרָה

סְעָרָה הִיא רוּחַ חֲזָקָה מְאֹד וְגֶשֶׁם.
A storm is very strong winds
and rain.

sofa סַפָּה
sah.pah סַפָּה

עַל סַפָּה אֶפְשָׁר לִשְׁכַּב אוֹ לָשֶׁבֶת.
We can sit or lie on a sofa.

story סִפּוּר
see.poor סִפּוּר

רוּת קָרְאָה בַּסֵּפֶר סִפּוּר מְעַנְיֵן.
Ruth read an interesting story
in a book.

ship סְפִינָה
s(e)fee.nah סְפִינָה

הַסְּפִינָה שָׁטָה בַּיָּם.
The ship sails on the sea.

א ב ג ד ה ו ז ח ט י כ ל מ נ ס ע פ צ ק ר ש ת

Counting סְפִירָה

s(e)fee.rah

1	אֶחָד	*é.khad*	אַחַת	*ah.khaht*
2	שְׁנַיִם	*sh(e)nah.yeem*	שְׁתַּיִם	*sh(e)tah.yeem*
3	שְׁלֹשָׁה	*sh(e)lo.shah*	שָׁלֹשׁ	*shah.losh*
4	אַרְבָּעָה	*ahr.bah.ah*	אַרְבַּע	*ahr.bah*
5	חֲמִשָּׁה	*khah.mee.shah*	חָמֵשׁ	*khah.mésh*
6	שִׁשָּׁה	*shee.shah*	שֵׁשׁ	*shésh*
7	שִׁבְעָה	*sheev.ah*	שֶׁבַע	*shé.vah*
8	שְׁמוֹנָה	*sh(e)mo.nah*	שְׁמוֹנֶה	*sh(e)mo.néh*
9	תִּשְׁעָה	*teesh.ah*	תֵּשַׁע	*té.shah*
10	עֲשָׂרָה	*ah.sah.rah*	עֶשֶׂר	*é.sér*
11	אַחַד עָשָׂר	*ah.khahd ah.sahr*	אַחַת עֶשְׂרֵה	*ah.khaht és.réh*
12	שְׁנֵים עָשָׂר	*sh(e)neym ah.sahr*	שְׁתֵּים עֶשְׂרֵה	*sh(e)teym és.réh*
13	שְׁלֹשָׁה עָשָׂר	*sh(e)lo.shah ah.sahr*	שְׁלֹשׁ עֶשְׂרֵה	*sh(e)losh és.réh*
14	אַרְבָּעָה עָשָׂר	*ahr.bah.ah ah.sahr*	אַרְבַּע עֶשְׂרֵה	*ahr.bah és.réh*
15	חֲמִשָּׁה עָשָׂר	*khah.mee.shah ah.sahr*	חֲמֵשׁ עֶשְׂרֵה	*khah.mésh és.réh*
16	שִׁשָּׁה עָשָׂר	*see.shah ah.sahr*	שֵׁשׁ עֶשְׂרֵה	*shésh és.réh*
17	שִׁבְעָה עָשָׂר	*sheev.ah ah.sahr*	שְׁבַע עֶשְׂרֵה	*sh(e)vah és.réh*
18	שְׁמוֹנָה עָשָׂר	*sh(e)mo.nah ah.sahr*	שְׁמוֹנֶה עֶשְׂרֵה	*sh(e)mo.néh és.réh*
19	תִּשְׁעָה עָשָׂר	*teesh.ah ah.sahr*	תְּשַׁע עֶשְׂרֵה	*t(e)shah és.reh*
20	עֶשְׂרִים	*és.reem*	עֶשְׂרִים	

cup סֵפֶל

sé.fél

סֵפֶל

אַבָּא שׁוֹתֶה קָפֶה בְּסֵפֶל, וְחָלָב — בְּכוֹס.

Dad drinks coffee from a cup and milk from a glass.

bench סַפְסָל

sahf.sahl סַפְסָל

בַּגַּן יֵשׁ סַפְסָל לִישִׁיבָה.

There is a bench to sit on in the garden.

book סֵפֶר

sé.fér סֵפֶר

שָׁאוּל קָרָא בַּסֵּפֶר סִפּוּר אָרֹךְ.

Shaul read a long story in a book.

told סִפֵּר

see.pér סִפֵּר

כְּשֶׁהָיִיתִי יֶלֶד קָטָן, סַבָּא סִפֵּר לִי סִפּוּרִים.

When I was a little boy, Grandfather told me stories.

barber סַפָּר

sah.pahr סַפָּר

הַסַּפָּר עוֹבֵד בְּמִסְפָּרָה.

The barber works in a barber-shop.

library סִפְרִיָּה

seef.ree.yah סִפְרִיָּה

בְּסִפְרִיָּה אֶפְשָׁר לִקְרֹא סְפָרִים
וְגַם לְהַחֲלִיף סְפָרִים.

We can read books in a library and exchange them for other books.

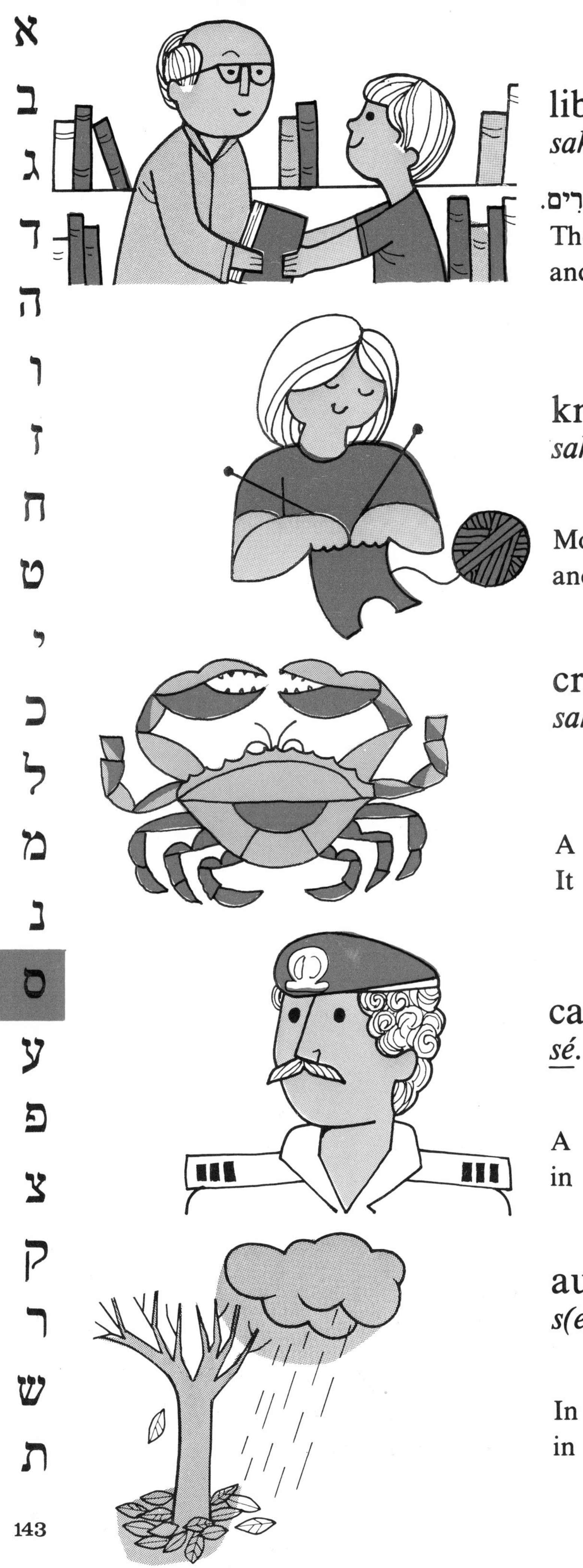

librarian **סַפְרָן**

sahf.rahn סַפְרָן

הַסַּפְרָן עוֹבֵד בְּסִפְרִיָּה וּמַחֲלִיף לָנוּ סְפָרִים.

The librarian works in a library and exchanges books for us.

knitted **סָרַג**

sah.rahg סָרַג

מֹשֶׁה סָרַג צָעִיף, וְרָחֵל סָרְגָה אֲפֻדָּה.

Moshe knitted a scarf, and Rachel knitted a sweater.

crab **סַרְטָן**

sahr.tahn סַרְטָן

לַסַּרְטָן יֵשׁ עֶשֶׂר רַגְלַיִם,
וְהוּא הוֹלֵךְ וְשׂוֹחֶה.

A crab has ten legs.
It can walk and swim.

captain **סֶרֶן**

sé.rén סֶרֶן

סֶרֶן הוּא קָצִין בַּצָּבָא שֶׁל יִשְׂרָאֵל.

A captain is an officer in the Israeli Army.

autumn **סְתָו**

s(e)tahv סְתָו

בְּיִשְׂרָאֵל יוֹרֵד בַּסְּתָו הַגֶּשֶׁם הָרִאשׁוֹן.

In Israel the first rains fall in the autumn.

autumn-crocus סִתְוָנִית

seet.vah.neet סִתְוָנִית

סִתְוָנִית הִיא פֶּרַח שָׂדֶה הַמּוֹפִיעַ בַּסְּתָו.

An autumn-crocus is a wild flower that appears in the autumn.

passed עָבַר

ah.vahr עָבַר

שְׁלֹמֹה עָבַר מֵעַל הַשְּׁלוּלִית בִּקְפִיצָה.

Shlomo passed over a puddle: he jumped over it.

Hebrew עִבְרִית

eev.reet עִבְרִית

הָאֲנָשִׁים בְּיִשְׂרָאֵל מְדַבְּרִים עִבְרִית.

People speak Hebrew in Israel.

tomato עַגְבָנִיָּה

ahg.vah.nee.yah עַגְבָנִיָּה

עַגְבָנִיָּה הִיא יָרָק אָדֹם.

A tomato is a red vegetable.

calf עֵגֶל

é.guél עֵגֶל

הָעֵגֶל יוֹנֵק חָלָב מֵאִמּוֹ הַפָּרָה.

The calf is nursing from the mother cow.

Birds עוֹפוֹת
o.fot
eagle נֶשֶׁר
né.shér
kingfisher שַׁלְדָּג
shahl.dahg
stork חֲסִידָה
khah.see.dah
penguin פִּינְגְּוִין
peen.gveen
sparrow רוֹר
d(e)ror
תֻּכִּי
parrot
too.kee
robin אֲדֹם־הֶחָזֶה
ah.dom hé.khah.zéh
hoopoe וּכִיפַת
doo.khee.f
dove יוֹנָה
yo.nah
wagtail לִיאֵלִי
nah.kh(ah).lee.é.
turtle-dove תּוֹר
tor
duck בַּרְוָז
bahr.vahz
נְשׁוּף
owl
yahn.sh

cart עֲגָלָה

ah.gah.lah עֲגָלָה

עֲגָלָה נוֹסַעַת עַל גַּלְגַּלִּים.

A cart moves on wheels.

until עַד

ahd עַד

יוֹאָב קָרָא בַּסֵּפֶר עַד שֶׁגָּמַר אוֹתוֹ.

Yoav read the book
until he finished it.

hoed עָדַר

ah.dahr עָדַר

הַגַּנָּן עָדַר אֶת הָאֲדָמָה בַּמַּעְדֵּר.

The gardener hoed the soil
with a hoe.

cake עוּגָה

oo.gah עוּגָה

אָפִיתִי עוּגָה לִמְסִבַּת יוֹם הַהֻלֶּדֶת שֶׁלִּי.

I baked a cake for
my birthday party.

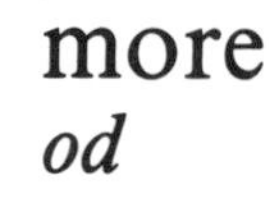

more עוֹד

od עוֹד

אִמָּא נָתְנָה לִי סֻכָּרִיָּה וּבִקַּשְׁתִּי עוֹד.

Mom gave me a piece of candy
and I asked for more.

immigrant — עוֹלֶה

o.léh — עוֹלֶה

לְעוֹלֶה שֶׁמַּגִּיעַ לָאָרֶץ קוֹרְאִים "עוֹלֶה חָדָשׁ".

A newcomer who comes to Israel is called a "new immigrant".

bird — עוֹף

of — עוֹף

לָעוֹף יֵשׁ כְּנָפַיִם וְהוּא יוֹדֵעַ לָעוּף.

A bird has wings and can fly.

blind — עִוֵּר

ee.vér — עִוֵּר

רָאִיתִי עִוֵּר הוֹלֵךְ עִם מַקֵּל וְכֶלֶב.

I saw a blind man walking with a cane and a dog.

goat — עֵז

éz — עֵז

הָאִכָּר מְגַדֵּל אֶת הָעֵז
בִּשְׁבִיל הֶחָלָב שֶׁלָּהּ.

The farmer raises goats for milk.

pen — עֵט

ét — עֵט

גִּיל כּוֹתֵב בְּמַחְבַּרְתּוֹ בְּעֵט.

Gil writes with a pen in his notebook.

Fruits *pé.rot* פֵּרוֹת

mouse **עַכְבָּר**
ahkh.bahr עַכְבָּר

לָעַכְבָּר יֵשׁ זָנָב אָרֹךְ וְשִׁנַּיִם חַדּוֹת.
A mouse has a long tail
and sharp teeth.

eye **עַיִן**
ah.yeen עַיִן

אָנוּ רוֹאִים בָּעֵינַיִם.
יוֹסִי קָרַץ; הוּא סָגַר עַיִן אַחַת.
We see with our eyes.
Yossi winked: he closed one eye.

wrapping **עֲטִיפָה**
ah.tee.fah עֲטִיפָה

עָטַפְתִּי אֶת הַמַּחְבֶּרֶת בַּעֲטִיפָה מִנְּיָר אָדֹם.
I covered my notebook
with red wrapping paper.

on **עַל**
ahl עַל

I sit on a chair. אֲנִי יוֹשֵׁב עַל כִּסֵּא.

went up **עָלָה**
ah.lah עָלָה

הַפּוֹעֵל עָלָה בַּסֻּלָּם לַגַּג.
The worker went up the ladder
to the roof.

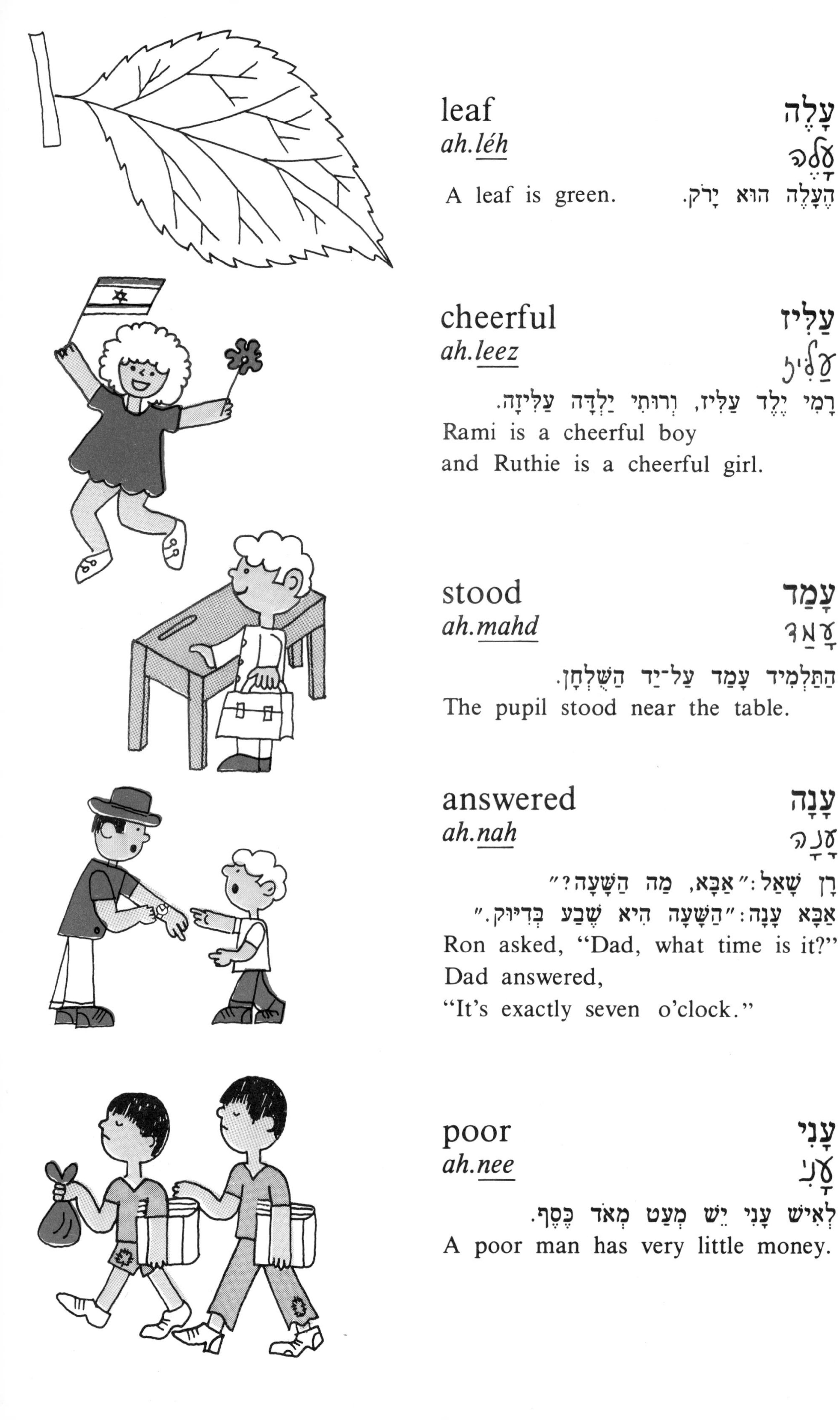

leaf — עָלֶה

ah.léh — עָלֶה

A leaf is green. — הֶעָלֶה הוּא יָרֹק.

cheerful — עַלִּיז

ah.leez — עַלִּיז

רָמִי יֶלֶד עַלִּיז, וְרוּתִי יַלְדָּה עַלִּיזָה.

Rami is a cheerful boy
and Ruthie is a cheerful girl.

stood — עָמַד

ah.mahd — עָמַד

הַתַּלְמִיד עָמַד עַל־יַד הַשֻּׁלְחָן.

The pupil stood near the table.

answered — עָנָה

ah.nah — עָנָה

רָן שָׁאַל: "אַבָּא, מַה הַשָּׁעָה?"
אַבָּא עָנָה: "הַשָּׁעָה הִיא שֶׁבַע בְּדִיּוּק."

Ron asked, "Dad, what time is it?"
Dad answered,
"It's exactly seven o'clock."

poor — עָנִי

ah.nee — עָנִי

לְאִישׁ עָנִי יֵשׁ מְעַט מְאֹד כֶּסֶף.

A poor man has very little money.

cloud — עָנָן

ah.nahn — עָנָן

רָאִיתִי עָנָן בַּשָּׁמַיִם.

I saw a cloud in the sky.

branch — עָנָף

ah.nahf — עָנָף

עַל הֶעָנָף שֶׁל הָעֵץ יֵשׁ עָלִים, פְּרָחִים אוֹ פֵּרוֹת.

There are leaves, flowers or fruit on a tree-branch.

giant — עֲנָק

ah.nahk — עֲנָק

לְאִישׁ גָּבֹהַּ וְגָדוֹל מְאֹד מְאֹד קוֹרְאִים עֲנָק.

We call a man who is very, very tall and big — a giant.

fly — עָף

ahf — עָף

הַנֶּשֶׁר עָף בַּשָּׁמַיִם.

The eagle flies in the sky.

kite — עֲפִיפוֹן

ah.fee.fon — עֲפִיפוֹן

דָּן אָחַז בַּחוּט, וְהֵעִיף אֶת הָעֲפִיפוֹן שֶׁלּוֹ.

Dan held the string and flew his kite.

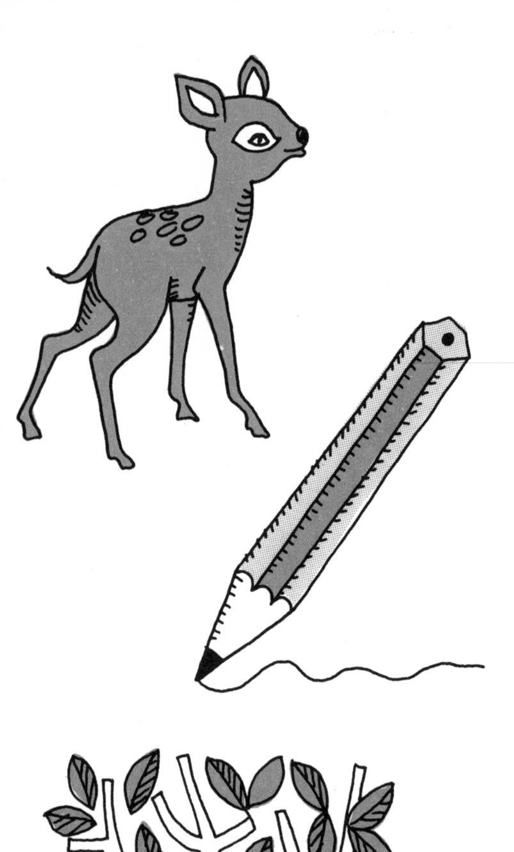

fawn — **עֹפֶר**

o.fér — עֹפֶר

עֹפֶר הוּא הַבֵּן הַקָּטָן שֶׁל אַיָּלָה וְאַיָּל.

A fawn is the young son
of the doe and the stag.

pencil — **עִפָּרוֹן**

ee.pah.ron — עִפָּרוֹן

אֲנִי כּוֹתֵב בְּעִפָּרוֹן. לָעִפָּרוֹן יֵשׁ חֹד.

I write with a pencil.
A pencil has a point on it.

tree — **עֵץ**

éts — עֵץ

בֶּחָצֵר שֶׁלִּי יֵשׁ עֵץ לִימוֹן.

There is a lemon tree in my yard.

sad — **עָצוּב**

ah.tsoov — עָצוּב

יוֹסִי הָיָה עָצוּב, כִּי אִמָּא נָסְעָה.

Yossi was sad because Mom
had gone away.

flower pot — **עָצִיץ**

ah.tseets — עָצִיץ

אָנוּ מְגַדְּלִים בֶּעָצִיץ צֶמַח קָטָן.

We grow a small plant
in a flower pot.

א ב ג ד ה ו ז ח ט י כ ל מ נ ס ע פ צ ק ר ש ת

lazy **עָצֵל**

ah.tsél עָצֵל

אָחִי יֶלֶד עָצֵל. הוּא יָשֵׁן כָּל הַיּוֹם.

My brother is a lazy boy.
He sleeps all day long.

scorpion **עַקְרָב**

ahk.rahv עַקְרָב

הָעַקְרָב עוֹקֵץ בִּקְצֵה הַזָּנָב.

The scorpion stings with the end of its tail.

evening **עֶרֶב**

é.rév עֶרֶב

הָעֶרֶב הוּא הַסּוֹף שֶׁל הַיּוֹם.

Evening comes at the end of the day.

garden-bed **עֲרוּגָה**

ah.roo.gah עֲרוּגָה

גָּד הֵכִין עֲרוּגָה עַל־יַד הַבַּיִת שֶׁלּוֹ.

Gad prepared a garden-bed near his house.

naked **עָרֹם**

ah.rom עָרֹם

הַתִּינוֹק שָׁכַב עָרֹם בַּמִּטָּה.

The baby lay naked in bed.

rich — עָשִׁיר

ah.sheer — עָשִׁיר

לְאִישׁ עָשִׁיר יֵשׁ הַרְבֵּה מְאֹד כֶּסֶף.

A rich man has a lot of money.

smoke — עָשָׁן

ah.shahn — עָשָׁן

בְּלַג בָּעֹמֶר עָלָה עָשָׁן מִן הַמְּדוּרָה.

On Lag B'Omer the smoke went up from the bonfire.

newspaper — עִתּוֹן

ee.ton — עִתּוֹן

אַבָּא קָרָא חֲדָשׁוֹת בָּעִתּוֹן.

Dad read the news in the newspaper.

met — פָּגַשׁ

pah.gahsh — פָּגַשׁ

אַבָּא פָּגַשׁ בָּרְחוֹב חָבֵר שֶׁלּוֹ.

Dad met a friend of his on the street.

mouth — פֶּה

péh — פֶּה

בַּפֶּה יֵשׁ לָשׁוֹן וְשִׁנַּיִם.

The tongue and the teeth are in the mouth.

א ב ג ד ה ו ז ח ט י כ ל מ נ ס ע פ צ ק ר ש ת

Purim — **פּוּרִים**

poo.reem — פּוּרִים

פּוּרִים הוּא חַג שָׂמֵחַ.

Purim is a happy holiday.

was afraid — **פָּחַד**

pah.khahd — פָּחַד

רָן פָּחַד מִן הַכֶּלֶב,
גַּם הֲדַסָּה פָּחֲדָה מִמֶּנּוּ.

Ron was afraid of the dog.
Hadassah was afraid of it, too.

hammer — **פַּטִּישׁ**

pah.teesh — פַּטִּישׁ

הַנַּגָּר דָּפַק מַסְמְרִים בְּפַטִּישׁ.

The carpenter drove in the nails
with a hammer.

mushroom — **פִּטְרִיָּה**

peet.ree.yah — פִּטְרִיָּה

פִּטְרִיָּה הִיא צֶמַח שֶׁאֵין עָלָיו פְּרָחִים.

A mushroom is a plant
without flowers.

elephant — **פִּיל**

peel — פִּיל

לַפִּיל יֵשׁ אַף אָרֹךְ מְאֹד.

An elephant has a very long nose.

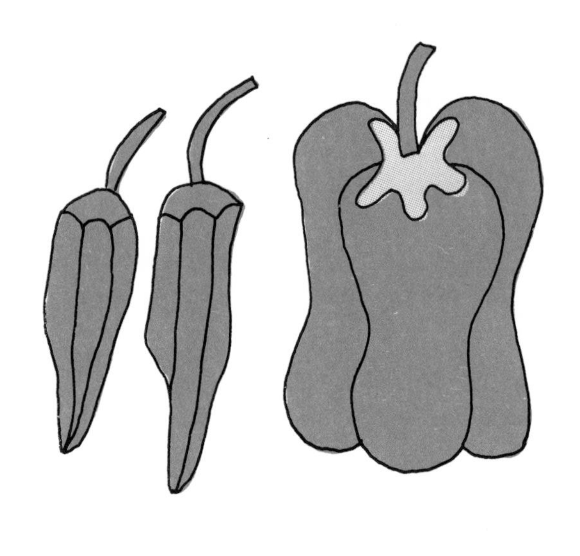

pepper פִּלְפֵּל
peel.pél פִּלְפֵּל

הַפִּלְפֵּל הוּא יָרָק שֶׁמְּגַדְּלִים בַּגִּנָּה.
A pepper is a vegetable grown in the garden.

face פָּנִים
pah.neem פָּנִים

אָנוּ מַכִּירִים אֲנָשִׁים לְפִי הַפָּנִים שֶׁלָּהֶם.
We recognize people by their faces.

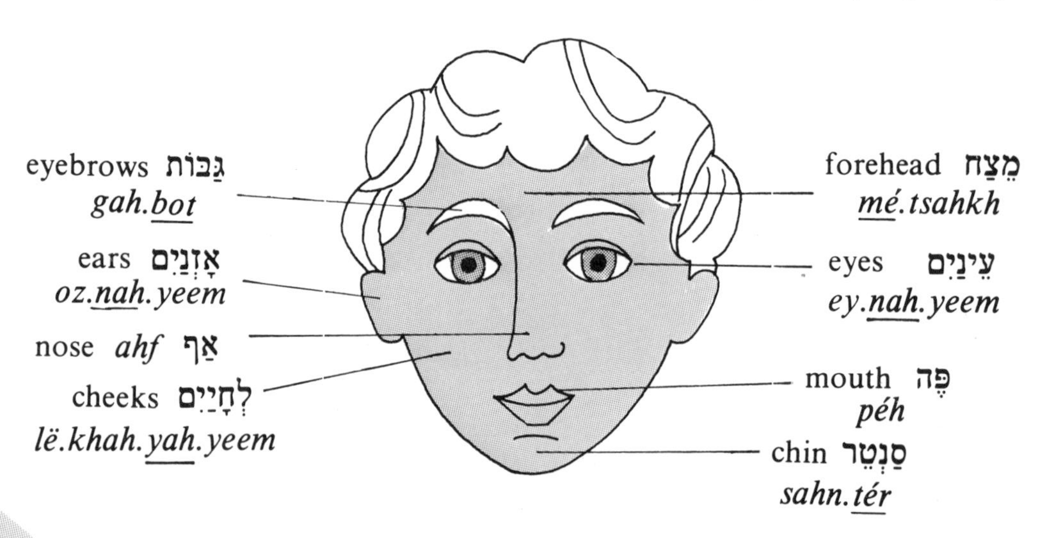

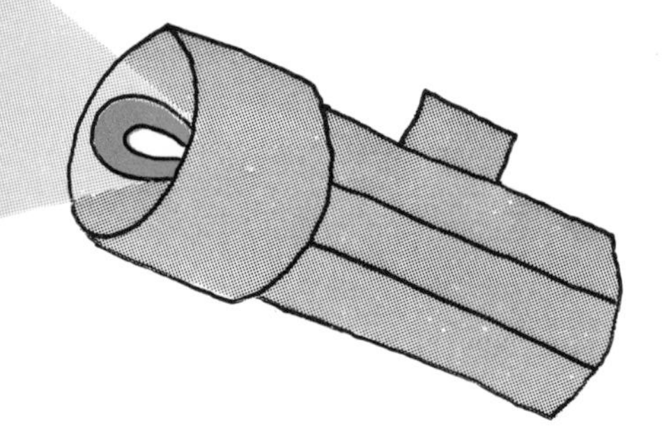

flashlight פָּנָס
pah.nahs פָּנָס

הַפָּנָס מֵאִיר בַּחֹשֶׁךְ.
A flashlight gives light in the dark.

Pesach/Passover פֶּסַח
pé.sahkh פֶּסַח

בְּחַג הַפֶּסַח אוֹכְלִים מַצּוֹת.
At Pesach we eat matzot.

Flowers *p(e)rah.kheem* פְּרָחִים

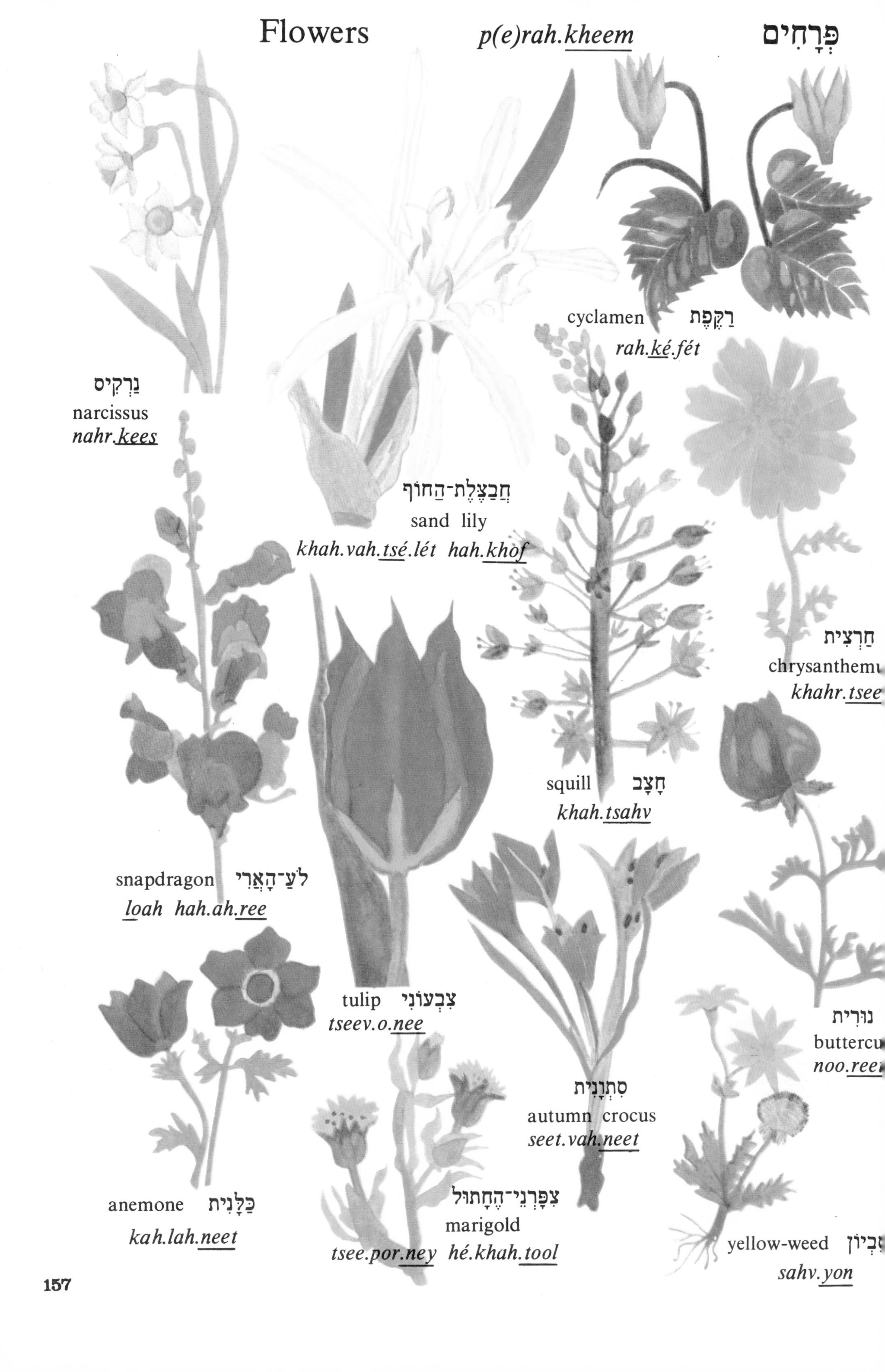

piano פְּסַנְתֵּר

p(e)sahn.tér פְּסַנְתֵּר

הַפְּסַנְתְּרָן מְנַגֵּן בַּפְּסַנְתֵּר.

The pianist is playing the piano.

once פַּעַם

pah.ahm פַּעַם

שִׁמְעוֹן הָיָה בְּאֵילַת פַּעַם אַחַת
וּבַכִּנֶּרֶת — שָׁלֹשׁ פְּעָמִים.

Shimon was in Eilat once
and at the Sea of Galilee
three times.

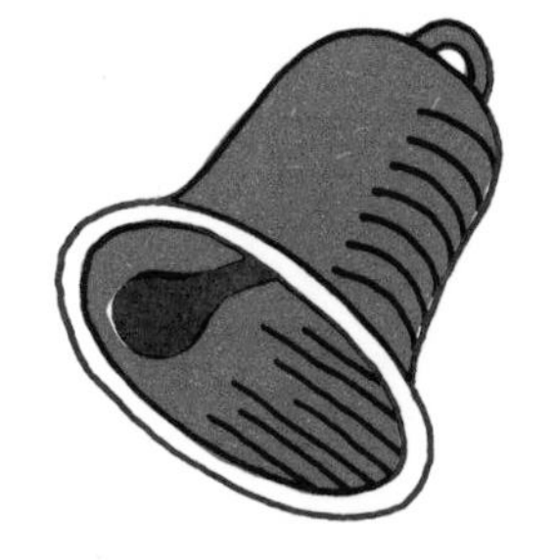

bell פַּעֲמוֹן

pah.ah.mon פַּעֲמוֹן

יוֹסִי אוֹהֵב לְצַלְצֵל בַּפַּעֲמוֹן.

Yossi likes to ring the bell.

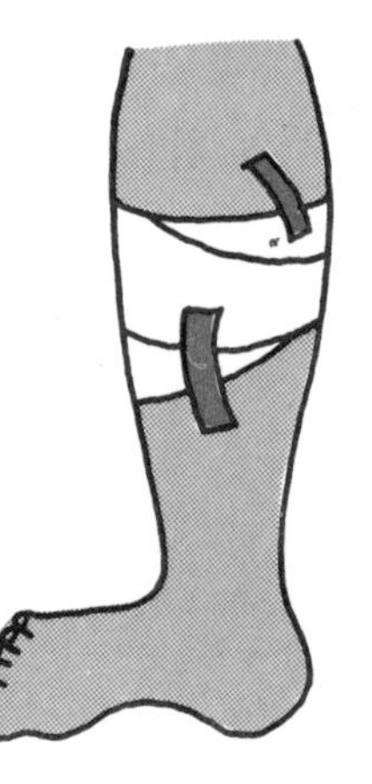

wound פֶּצַע

pé.tsah פֶּצַע

אוּרִי נָפַל וְקִבֵּל פֶּצַע בָּרֶגֶל.

Uri fell and had a wound
on his leg.

poppy פָּרָג

pah.rahg פָּרָג

הַפָּרָג הוּא פֶּרַח אָדֹם
שֶׁגָּדֵל בַּשָּׂדֶה אוֹ בַּגַּן.

A poppy is a red flower
that grows in the field
or in a garden.

א ב ג ד ה ו ז ח ט י כ ל מ נ ס ע פ צ ק ר ש ת

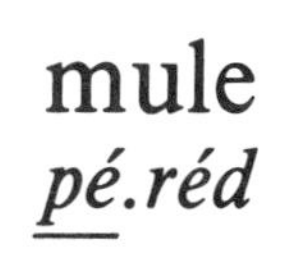

mule — **פֶּרֶד**

pé.réd — פֶּרֶד

הַפֶּרֶד דוֹמֶה לְסוּס וְלַחֲמוֹר.

A mule is similar to both a horse and a donkey.

citrus grove — **פַּרְדֵּס**

pahr.dés — פַּרְדֵּס

בַּפַּרְדֵּס מְגַדְּלִים עֲצֵי פְּרִי־הָדָר.

Citrus fruit-trees are grown in a citrus grove.

cow — **פָּרָה**

pah.rah — פָּרָה

פָּרָה הִיא בְּהֵמָה שֶׁנּוֹתֶנֶת לָנוּ חָלָב.

A cow is an animal that gives us milk.

fur — **פַּרְוָה**

pahr.vah — פַּרְוָה

לַשּׁוּעָל יֵשׁ פַּרְוָה עַל הַגּוּף.

A fox has fur on its body.

flower — **פֶּרַח**

pé.rahkh — פֶּרַח

לַפֶּרַח יֵשׁ צְבָעִים יָפִים.

הַפְּרָחִים מְקַשְּׁטִים אֶת הַשָּׂדוֹת וְהַגַּנִּים.

Flowers come in beautiful colors.
Flowers decorate fields and gardens.

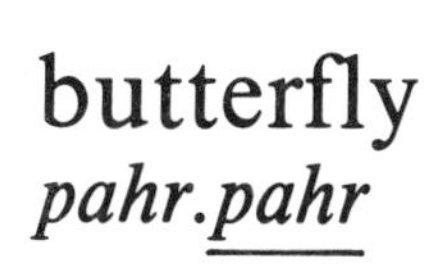

butterfly פַּרְפָּר
pahr.pahr פַּרְפָּר

לַפַּרְפָּר יֵשׁ אַרְבַּע כְּנָפַיִם.
The butterfly has four wings.

lady-bug פָּרַת־מֹשֶׁה־רַבֵּנוּ
pah.raht-mo.shéh-rah.bé.noo

פָּרַת־מֹשֶׁה־רַבֵּנוּ

פָּרַת־מֹשֶׁה־רַבֵּנוּ הִיא חִפּוּשִׁית קְטַנָּה.
A lady-bug is a small beetle.

warbler פָּשׁוֹשׁ
pah.shosh פָּשׁוֹשׁ

הַפָּשׁוֹשׁ הִיא צִפּוֹר
הַנִּמְצֵאת בְּיִשְׂרָאֵל בְּמֶשֶׁךְ כָּל הַשָּׁנָה.
The warbler is a bird
which can be seen in Israel
all the year round.

opened פָּתַח
pah.tahkh פָּתַח

מִי פָּתַח אֶת הַדֶּלֶת? אִמָּא פָּתְחָה אוֹתָהּ.
"Who opened the door?"
"Mom opened it."

solved פָּתַר
pah.tahr פָּתַר

מִי פָּתַר אֶת הַתַּרְגִּיל בְּחֶשְׁבּוֹן?
רוּתִי פָּתְרָה אוֹתוֹ.
"Who solved the math problem?"
"Ruthie solved it."

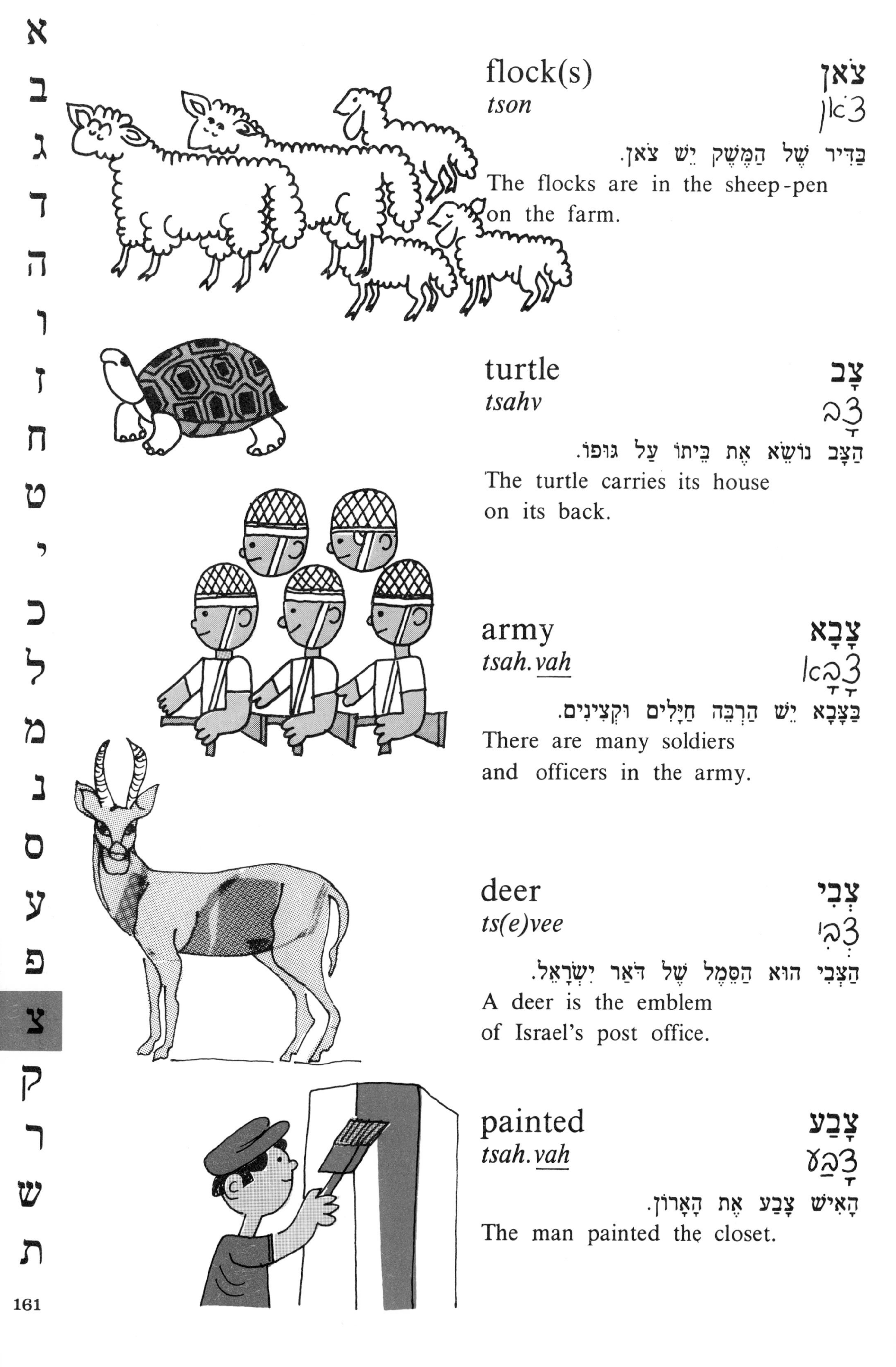

flock(s) צֹאן
tson
צֹאן

בַּדִּיר שֶׁל הַמֶּשֶׁק יֵשׁ צֹאן.
The flocks are in the sheep-pen on the farm.

turtle צָב
tsahv
צָב

הַצָּב נוֹשֵׂא אֶת בֵּיתוֹ עַל גּוּפוֹ.
The turtle carries its house on its back.

army צָבָא
tsah.vah
צָבָא

בַּצָּבָא יֵשׁ הַרְבֵּה חַיָּלִים וּקְצִינִים.
There are many soldiers and officers in the army.

deer צְבִי
ts(e)vee
צְבִי

הַצְּבִי הוּא הַסֵּמֶל שֶׁל דֹּאַר יִשְׂרָאֵל.
A deer is the emblem of Israel's post office.

painted צָבַע
tsah.vah
צָבַע

הָאִישׁ צָבַע אֶת הָאָרוֹן.
The man painted the closet.

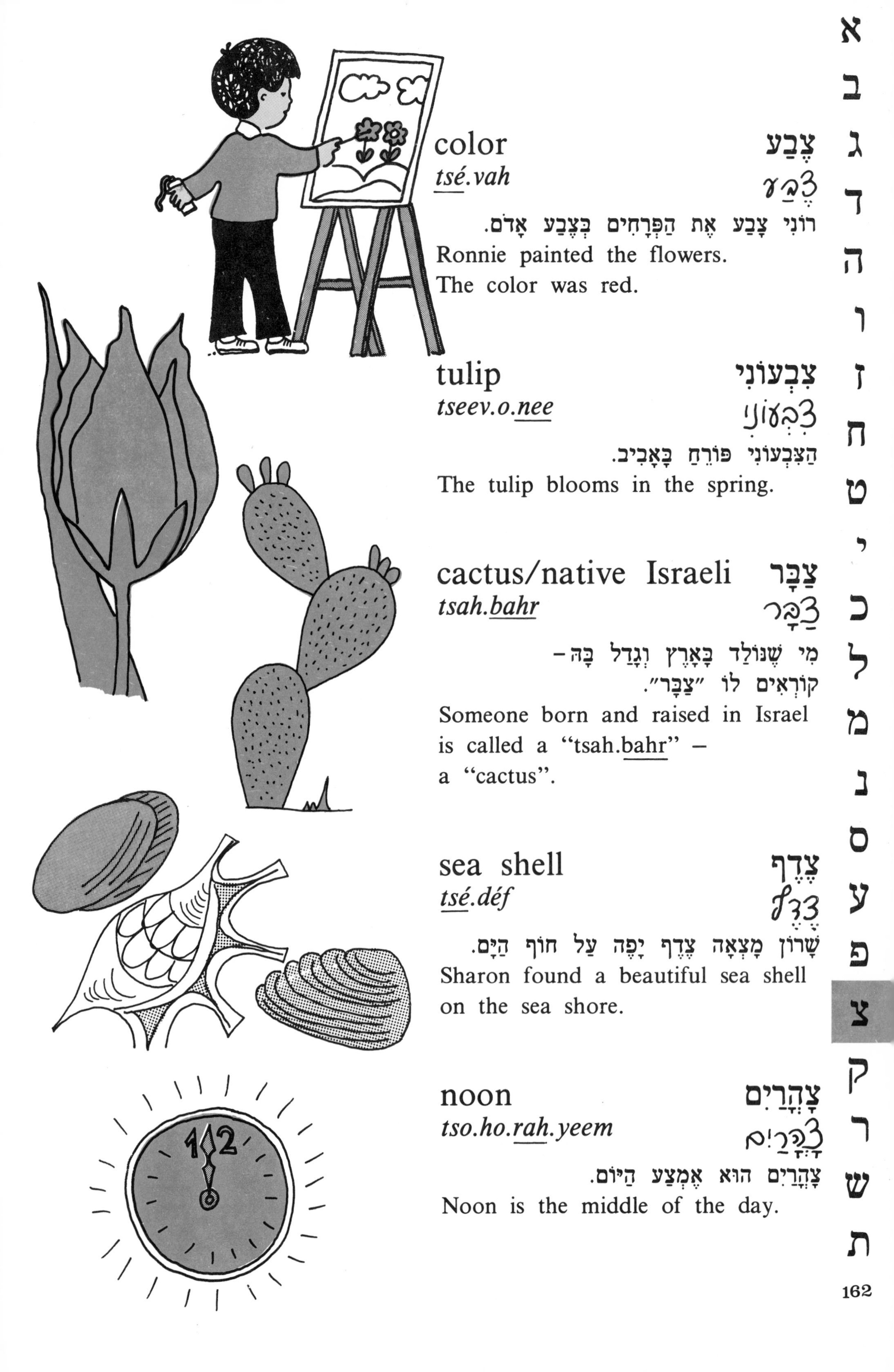

color צֶבַע
tsé.vah צֶבַע

רוֹנִי צָבַע אֶת הַפְּרָחִים בְּצֶבַע אָדֹם.
Ronnie painted the flowers.
The color was red.

tulip צִבְעוֹנִי
tseev.o.nee צִבְעוֹנִי

הַצִּבְעוֹנִי פּוֹרֵחַ בָּאָבִיב.
The tulip blooms in the spring.

cactus/native Israeli צַבָּר
tsah.bahr צַבָּר

מִי שֶׁנּוֹלַד בָּאָרֶץ וְגָדַל בָּהּ –
קוֹרְאִים לוֹ "צַבָּר".
Someone born and raised in Israel
is called a "tsah.bahr" –
a "cactus".

sea shell צֶדֶף
tsé.déf צֶדֶף

שָׁרוֹן מָצְאָה צֶדֶף יָפֶה עַל חוֹף הַיָּם.
Sharon found a beautiful sea shell
on the sea shore.

noon צָהֳרַיִם
tso.ho.rah.yeem צָהֳרַיִם

צָהֳרַיִם הוּא אֶמְצַע הַיּוֹם.
Noon is the middle of the day.

Zahal **צַהַ"ל**

tsah.hahl צה"ל

הַצָּבָא שֶׁל יִשְׂרָאֵל נִקְרָא צַהַ"ל.
צְבָא הֲגַנָּה לְיִשְׂרָאֵל.

Israel's army is called Tsahal.
This means
"Israel's Defence Force".

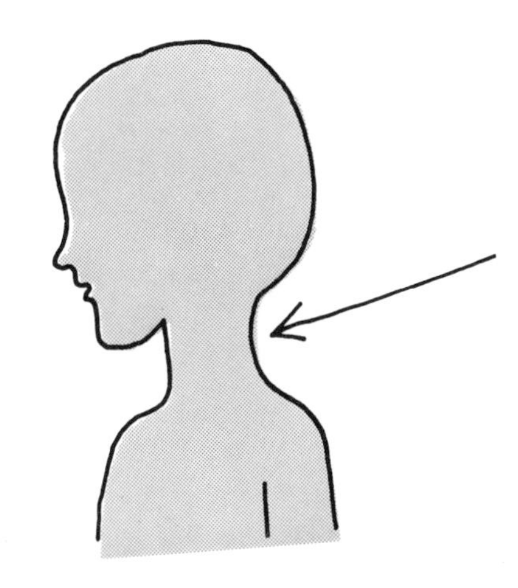

neck **צַוָּאר**

tsah.vahr צואר

הַצַּוָּאר מַחֲזִיק אֶת הָרֹאשׁ.

The neck holds up the head.

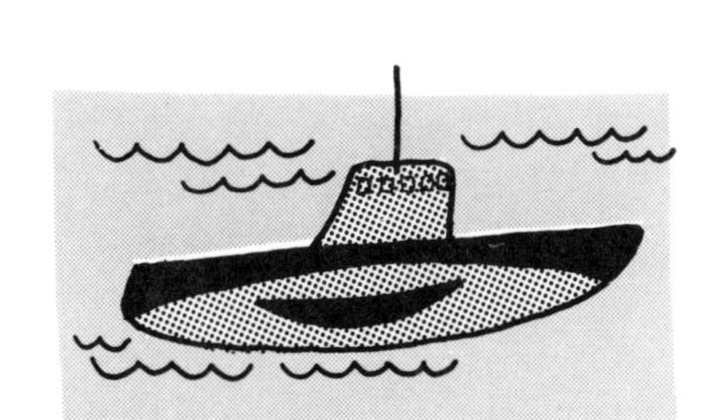

submarine **צוֹלֶלֶת**

tso.lé.lét צוללת

הַצּוֹלֶלֶת הִיא אֳנִיָּה שֶׁיְּכוֹלָה לָשׁוּט עָמֹק
בְּתוֹךְ הַמַּיִם.

A submarine can travel
under water.

Shapes צוּרוֹת

tsoo.rot

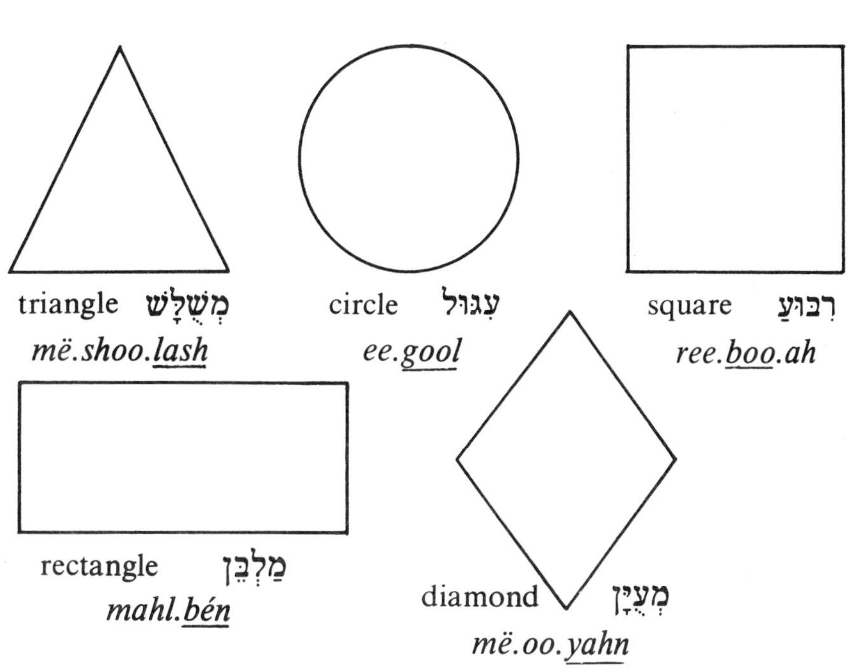

triangle מְשֻׁלָּשׁ
më.shoo.lash

circle עִגּוּל
ee.gool

square רִבּוּעַ
ree.boo.ah

rectangle מַלְבֵּן
mahl.bén

diamond מְעֻיָּן
më.oo.yahn

laughed צָחַק
tsah.khahk צָחַק

אָחִי צָחַק כִּי סִפַּרְתִּי לוֹ בְּדִיחָה.

My brother laughed
because I told him a joke.

drawing צִיּוּר
tsee.yoor צִיּוּר

צִיּוּר עוֹשִׂים בְּעִפָּרוֹן אוֹ בִּצְבָעִים.

We make a drawing with a pencil
or with crayons.

artist צַיָּר
tsah.yahr צַיָּר

הַצַּיָּר הוּא אִישׁ שֶׁמְּצַיֵּר תְּמוּנוֹת.

An artist is a person
who paints pictures.

shadow צֵל
tsél צֵל

הַצֵּל שֶׁלִּי תָּמִיד עַל-יָדִי.

My shadow is always next to me.

plate צַלַּחַת
tsah.lah.khaht צַלַּחַת

בְּצַלַּחַת מַגִּישִׁים אֹכֶל.

We serve food on a plate.

photographer **צַלָּם**
tsah.lahm
צַלָּם

הַצַּלָּם צִלֵּם אֶת הָאִישׁ.
The photographer shot a picture of the man.
He took a picture of him.

rang **צִלְצֵל**
tseel.tsél
צִלְצֵל

הַטֶּלֶפוֹן צִלְצֵל, וְאִמָּא עָנְתָה.
The telephone rang
and Mom answered it.

fast(ed) **צָם**
tsahm
צָם

דָּן צָם בְּיוֹם כִּפּוּר.
Dan fasted on Yom Kippur.

thirsty **צָמֵא**
tsah.mé
צָמֵא

כְּשֶׁאֲנִי צָמֵא, אֲנִי שׁוֹתֶה מַיִם.
When I'm thirsty, I drink water.

braid **צַמָּה**
tsah.mah
צַמָּה

לַהֲדַס יֵשׁ צַמָּה אַחַת
וּלְשָׁרוֹן — שְׁתֵּי צַמּוֹת.
Hadass has one braid
and Sharon has two braids.

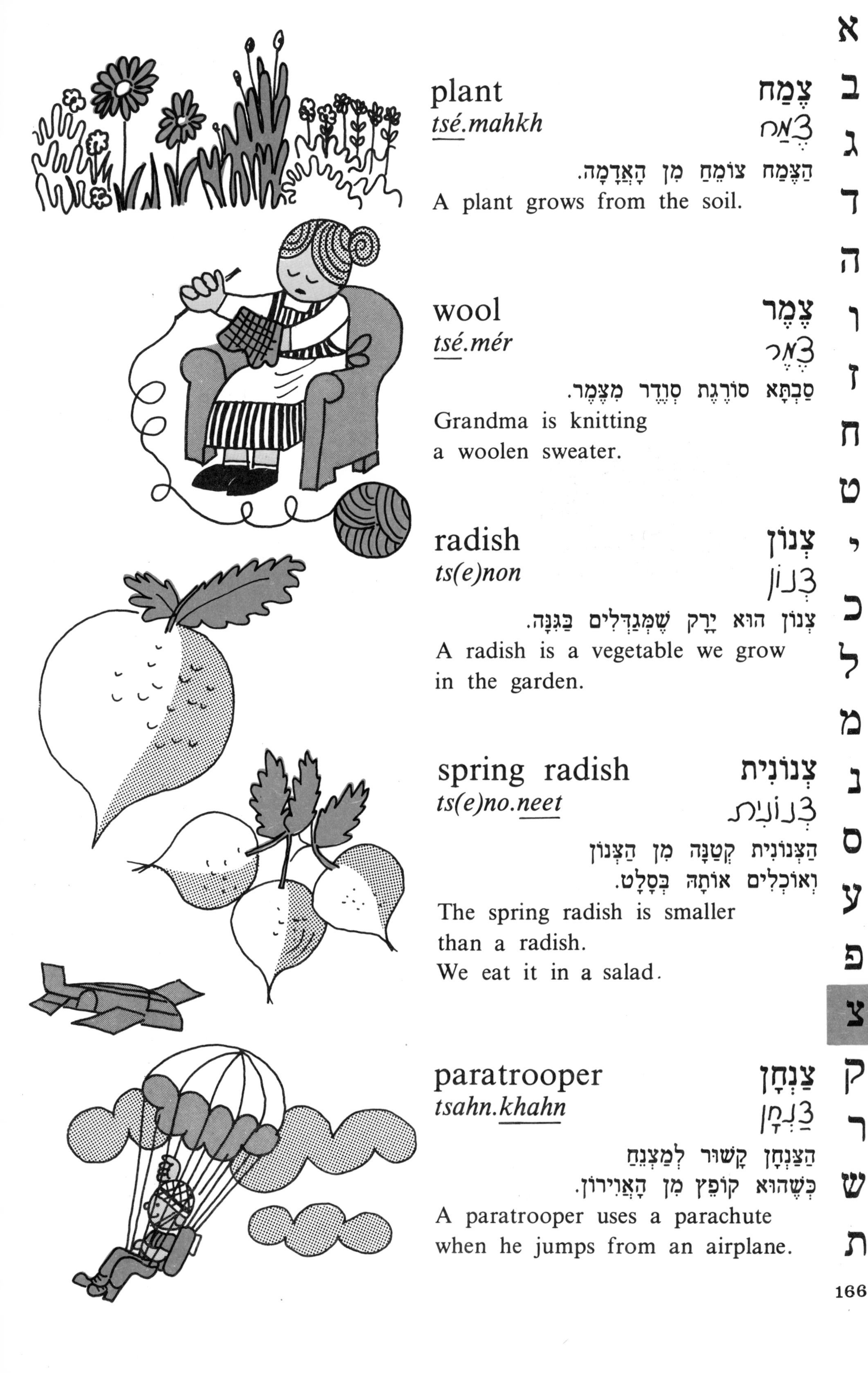

plant צֶמַח
tsé.mahkh צֶמַח

הַצֶּמַח צוֹמֵחַ מִן הָאֲדָמָה.
A plant grows from the soil.

wool צֶמֶר
tsé.mér צֶמֶר

סַבְתָּא סוֹרֶגֶת סְוֶדֶר מִצֶּמֶר.
Grandma is knitting
a woolen sweater.

radish צְנוֹן
ts(e)non צְנוֹן

צְנוֹן הוּא יָרָק שֶׁמְּגַדְּלִים בַּגִּנָּה.
A radish is a vegetable we grow
in the garden.

spring radish צְנוֹנִית
ts(e)no.neet צְנוֹנִית

הַצְּנוֹנִית קְטַנָּה מִן הַצְּנוֹן
וְאוֹכְלִים אוֹתָהּ בְּסָלָט.
The spring radish is smaller
than a radish.
We eat it in a salad.

paratrooper צַנְחָן
tsahn.khahn צַנְחָן

הַצַּנְחָן קָשׁוּר לְמַצְנֵחַ
כְּשֶׁהוּא קוֹפֵץ מִן הָאֲוִירוֹן.
A paratrooper uses a parachute
when he jumps from an airplane.

toy — **צַעֲצוּעַ**

tsah.ah.tsoo.ah — צַעֲצוּעַ

הַתִּינוֹק מְשַׂחֵק בְּצַעֲצוּעַ קָטָן.

The baby is playing with a small toy.

shouted — **צָעַק**

tsah.ahk — צָעַק

אָחִי צָעַק בְּקוֹל רָם,
כִּי עָמַדְתִּי רָחוֹק מִמֶּנּוּ.

My brother shouted in a loud voice because I was standing far away from him.

floated — **צָף**

tsahf — צָף

אַמְנוֹן צָף עַל הַמַּיִם.

Amnon floated on the water.

bird — **צִפּוֹר**

tsee.por — צִפּוֹר

הַצִּפּוֹר בּוֹנָה קֵן וּמְטִילָה בּוֹ בֵּיצִים.

A bird builds a nest and lays eggs in it.

frog — **צְפַרְדֵּעַ**

ts(e)fahr.dé.ah — צְפַרְדֵּעַ

הַצְּפַרְדֵּעַ יְכוֹלָה לִחְיוֹת בַּמַּיִם,
וְגַם עַל הַיַּבָּשָׁה.

A frog can live in water and on land.

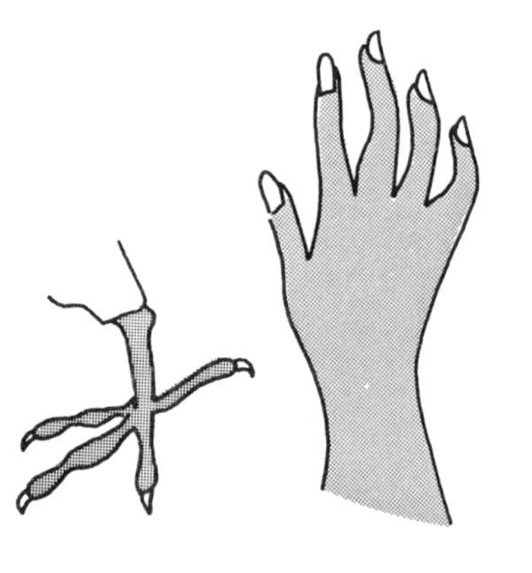

fingernail — צִפֹּרֶן

tsee.po.rén

צִפֹּרֶן

יֵשׁ לָנוּ צִפָּרְנַיִם בִּקְצֵה הָאֶצְבָּעוֹת
בַּיָּדַיִם וּבָרַגְלַיִם.

We have fingernails on our fingers and toenails on our toes.

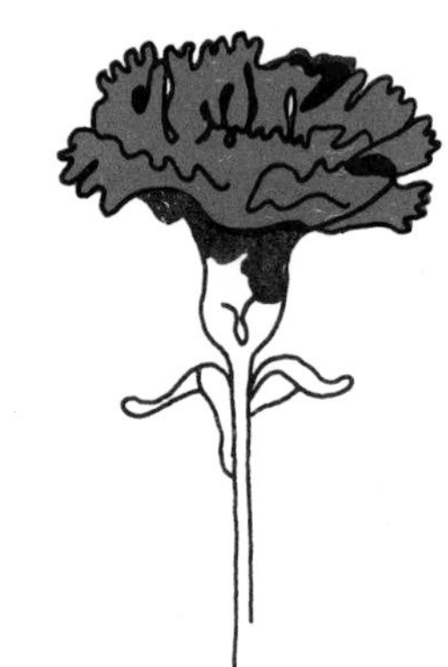

carnation — צִפֹּרֶן

tsee.po.rén

צִפֹּרֶן

צִפֹּרֶן הוּא פֶּרַח בַּעַל רֵיחַ נָעִים.

A carnation is a flower with a lovely smell.

wasp — צִרְעָה

tseer.ah

צִרְעָה

צֶבַע הַגּוּף שֶׁל הַצִּרְעָה חוּם וְצָהֹב.

A wasp has a brown and yellow body.

cricket — צְרָצַר

ts(e)rah.tsahr

צְרָצַר

הַצְּרָצַר מַשְׁמִיעַ בַּלַּיְלָה צִרְצוּר חָזָק.

The cricket makes a loud chirping sound at night.

block — קֻבִּיָּה

koo.bee.yah

קֻבִּיָּה

רוֹן שִׂחֵק בְּקֻבִּיּוֹת;
הוּא שָׂם קֻבִּיָּה עַל קֻבִּיָּה.

Ron played with blocks.
He put one block on top of another.

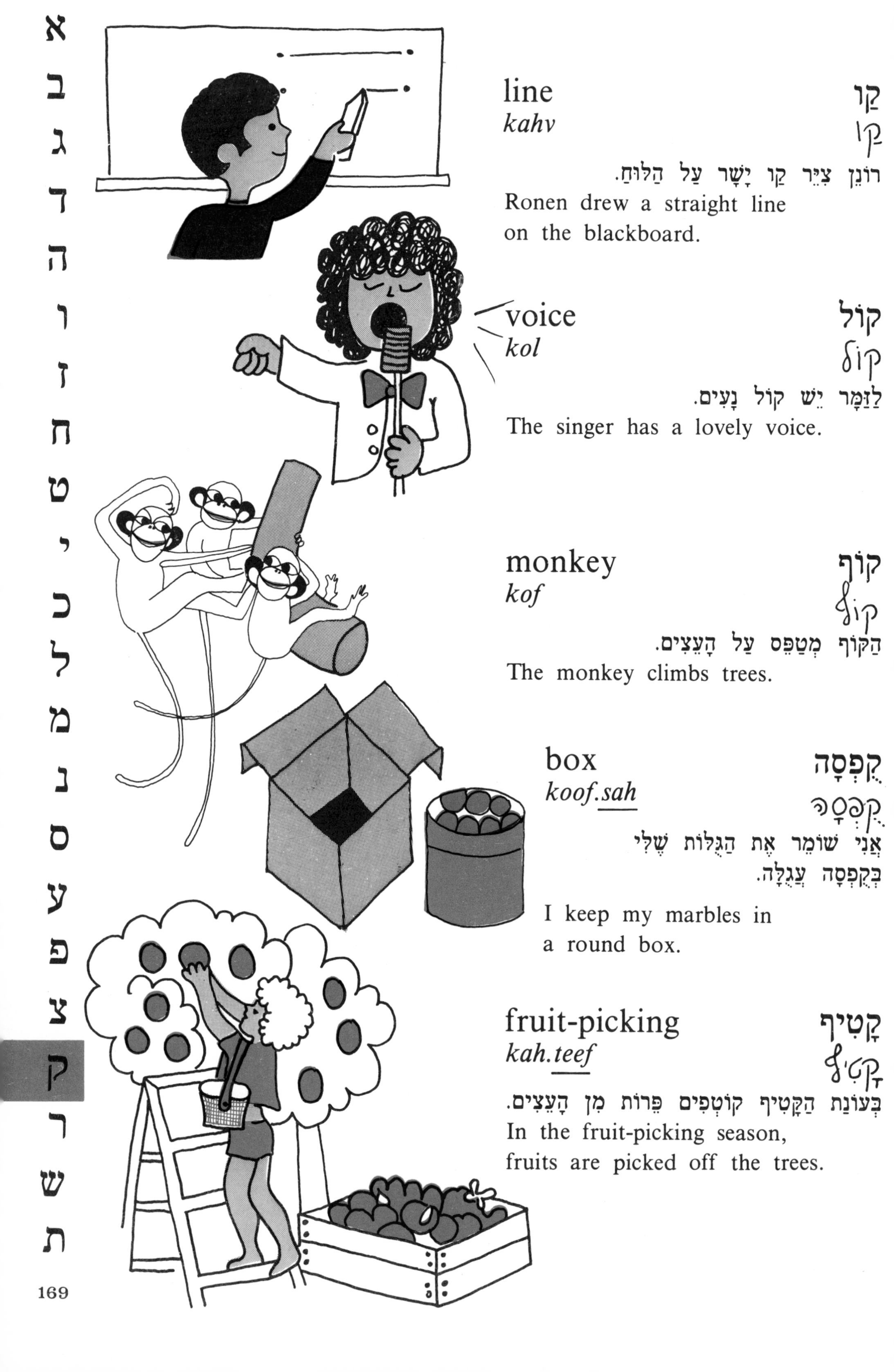

line — קַו

kahv

קַו

רוֹנֵן צִיֵּר קַו יָשָׁר עַל הַלּוּחַ.

Ronen drew a straight line on the blackboard.

voice — קוֹל

kol

קוֹל

לַזַּמָּר יֵשׁ קוֹל נָעִים.

The singer has a lovely voice.

monkey — קוֹף

kof

קוֹף

הַקּוֹף מְטַפֵּס עַל הָעֵצִים.

The monkey climbs trees.

box — קֻפְסָה

koof.sah

קֻפְסָה

אֲנִי שׁוֹמֵר אֶת הַגֻּלּוֹת שֶׁלִּי בְּקֻפְסָה עֲגֻלָּה.

I keep my marbles in a round box.

fruit-picking — קָטִיף

kah.teef

קָטִיף

בְּעוֹנַת הַקָּטִיף קוֹטְפִים פֵּרוֹת מִן הָעֵצִים.

In the fruit-picking season, fruits are picked off the trees.

scooter קַטְנוֹעַ
kaht.no.ah קַטְנוֹעַ

עַל קַטְנוֹעַ נוֹסְעִים אִישׁ אֶחָד אוֹ שְׁנַיִם.

One or two people can ride on a scooter.

picked קָטַף
kah.tahf קָטַף

אִילָן קָטַף פְּרָחִים בַּשָּׂדֶה.

Elan picked flowers in the field.

engine קַטָּר
kah.tahr קַטָּר

הַקַּטָּר מוֹבִיל אֶת הָרַכֶּבֶת עַל מְסִלַּת בַּרְזֶל.

The engine pulls the train along the tracks.

camp קַיְטָנָה
kie.tah.nah קַיְטָנָה

קַיְטָנָה הִיא מַחֲנֶה קַיִץ לְשַׁעֲשׁוּעַ וְלִמְנוּחָה.

A camp is a place where we go in the summer to have fun and to rest.

summer קַיִץ
kah.yeets קַיִץ

הַקַּיִץ בָּא אַחֲרֵי הָאָבִיב וְלִפְנֵי הַסְּתָו.

Summer comes after spring and before autumn.

א ב ג׳ ד ה ו ז ח ט י כ ל מ נ ס ע פ צ ק ר ש ת

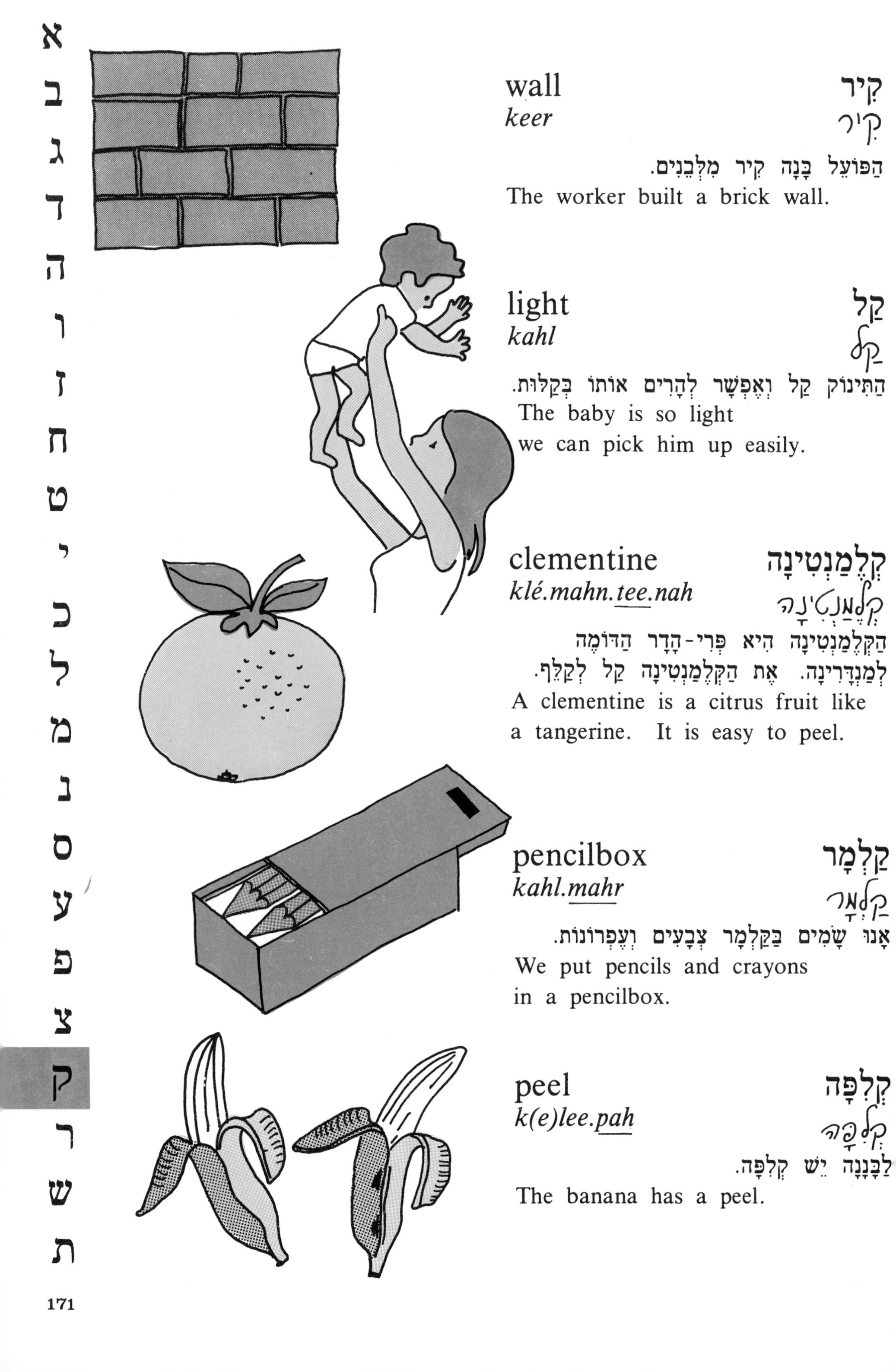

wall קִיר
keer קִיר

הַפּוֹעֵל בָּנָה קִיר מִלְּבֵנִים.
The worker built a brick wall.

light קַל
kahl קַל

הַתִּינוֹק קַל וְאֶפְשָׁר לְהָרִים אוֹתוֹ בְּקַלּוּת.
The baby is so light
we can pick him up easily.

clementine קְלֶמֶנְטִינָה
klé.mahn.tee.nah קְלֶמֶנְטִינָה

הַקְּלֶמֶנְטִינָה הִיא פְּרִי-הָדָר הַדּוֹמֶה
לְמַנְדָּרִינָה. אֶת הַקְּלֶמֶנְטִינָה קַל לְקַלֵּף.
A clementine is a citrus fruit like
a tangerine. It is easy to peel.

pencilbox קַלְמָר
kahl.mahr קַלְמָר

אָנוּ שָׂמִים בַּקַּלְמָר צְבָעִים וְעֶפְרוֹנוֹת.
We put pencils and crayons
in a pencilbox.

peel קְלִפָּה
k(e)lee.pah קְלִפָּה

לַבָּנָנָה יֵשׁ קְלִפָּה.
The banana has a peel.

got up/stood up קָם
kahm קָם

דָּן קָם מִן הַכִּסֵּא.
דָּן קָם בַּבֹּקֶר וְהִתְלַבֵּשׁ.

Dan stood up.
Dan got up in the morning and got dressed.

flour קֶמַח
ké.mahkh קֶמַח

אָנוּ אוֹפִים מִקֶּמַח לֶחֶם וְעוּגוֹת.

We use flour to bake bread and cakes.

kettle קֻמְקוּם
koom.koom קֻמְקוּם

אַבָּא הִרְתִּיחַ מַיִם בַּקֻּמְקוּם.

Dad boiled water in the kettle.

nest קֵן
kén קֵן

הַצִּפּוֹר בּוֹנָה קֵן וּמְטִילָה בּוֹ בֵּיצִים.

A bird builds a nest in which to lay its eggs.

bought קָנָה
kah.nah קָנָה

הָאִישׁ קָנָה עִתּוֹן.

The man bought a newspaper.

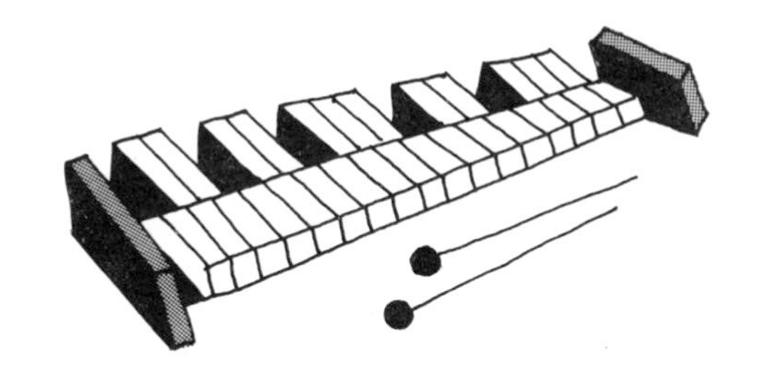

xylophone **קְסִילוֹפוֹן**
k(e)see.lo.fon קְסִילוֹפוֹן

אָחִי מְנַגֵּן בִּקְסִילוֹפוֹן בְּתִזְמֹרֶת בֵּית־הַסֵּפֶר.
My brother plays the xylophone
in the school orchestra.

bowl **קְעָרָה**
kë.ah.rah קְעָרָה

אִמָּא הֵכִינָה בַּקְּעָרָה בָּצֵק לְעוּגָה.
Mom made cake batter
in the bowl.

coffee **קָפֶה**
kah.féh קָפֶה

קָפֶה עוֹשִׂים מִגַּרְעִינִים שֶׁגְּדֵלִים
עַל עֵץ קָפֶה.
Coffee is made from coffee beans,
which grow on a coffee tree.

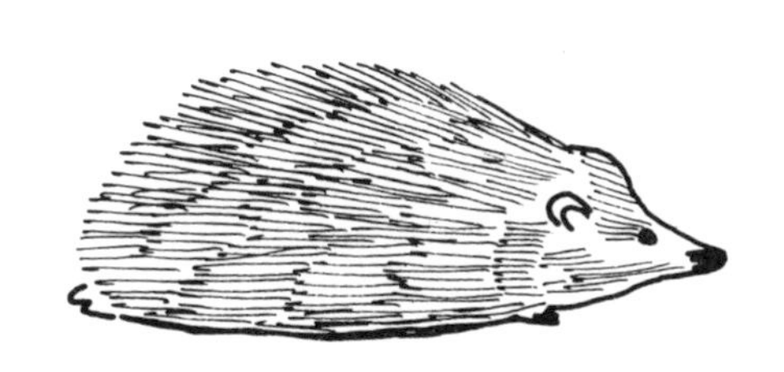

hedgehog **קִפּוֹד**
kee.pod קִפּוֹד

גּוּף הַקִּפּוֹד מְכֻסֶּה בְּקוֹצִים חַדִּים.
A hedgehog's body is covered
with sharp quills.

jumped **קָפַץ**
kah.fahts קָפַץ

גִּיל קָפַץ לַגֹּבַהּ בְּשִׁעוּר הִתְעַמְּלוּת.
אֲחוֹתוֹ קָפְצָה בְּחֶבֶל.
Gil did high jumps
during the gym lesson.
His sister jumped rope.

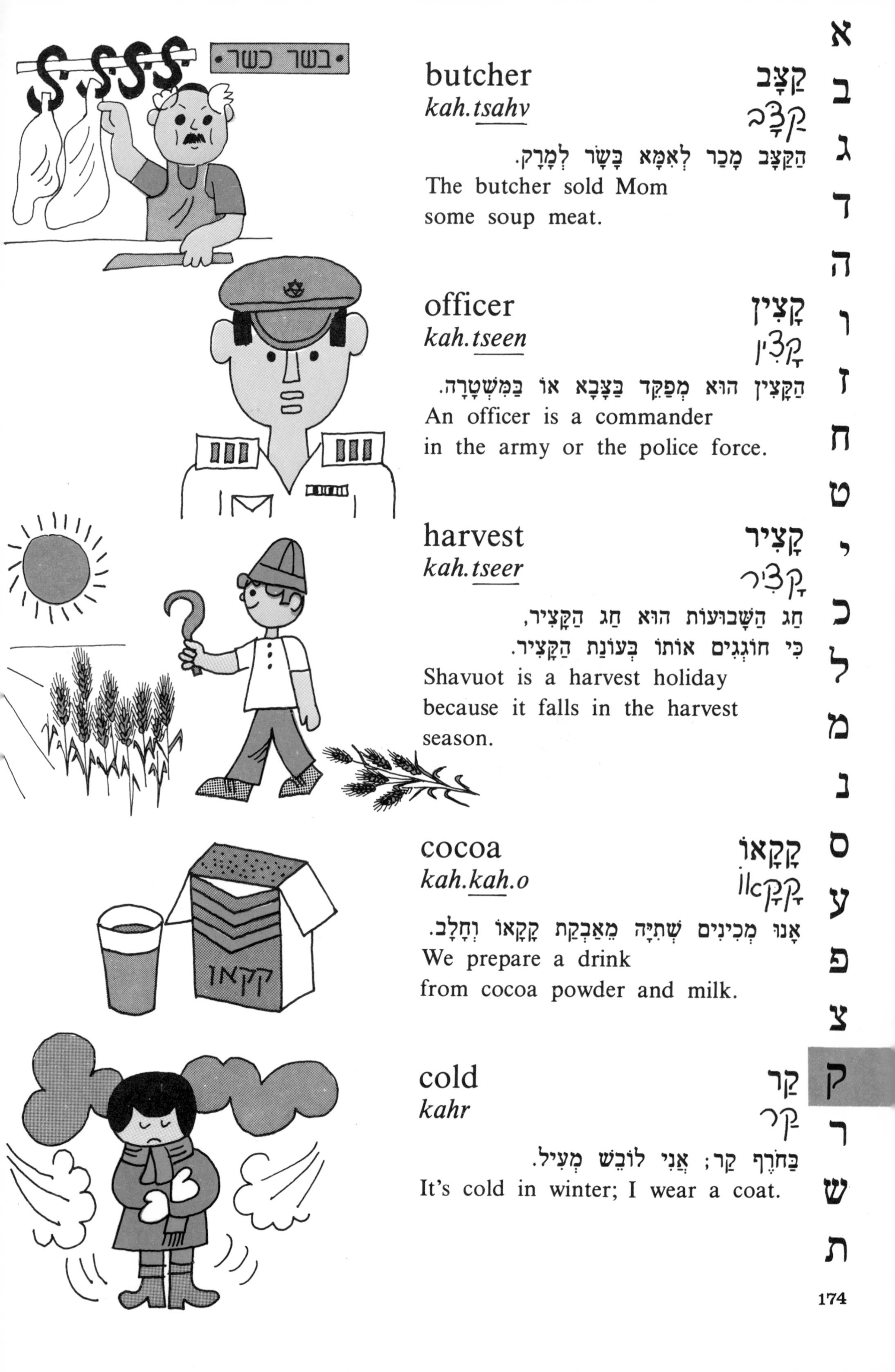

butcher — קַצָּב

kah.tsahv — קַצָּב

הַקַּצָּב מָכַר לְאִמָּא בָּשָׂר לְמָרָק.

The butcher sold Mom
some soup meat.

officer — קָצִין

kah.tseen — קָצִין

הַקָּצִין הוּא מְפַקֵּד בַּצָּבָא אוֹ בַּמִּשְׁטָרָה.

An officer is a commander
in the army or the police force.

harvest — קָצִיר

kah.tseer — קָצִיר

חַג הַשָּׁבוּעוֹת הוּא חַג הַקָּצִיר,
כִּי חוֹגְגִים אוֹתוֹ בְּעוֹנַת הַקָּצִיר.

Shavuot is a harvest holiday
because it falls in the harvest
season.

cocoa — קָקָאוֹ

kah.kah.o — קָקָאוֹ

אָנוּ מְכִינִים שְׁתִיָּה מֵאַבְקַת קָקָאוֹ וְחָלָב.

We prepare a drink
from cocoa powder and milk.

cold — קַר

kahr — קַר

בַּחֹרֶף קַר; אֲנִי לוֹבֵשׁ מְעִיל.

It's cold in winter; I wear a coat.

א ב ג ד ה ו ז ח ט י כ ל מ נ ס ע פ צ ק ר ש ת

read קָרָא

kah.rah קָרָא

אַמְנוֹן קָרָא בַּסֵּפֶר סִפּוּר מְעַנְיֵן.

Amnon read an interesting story in the book.

happened קָרָה

kah.rah קָרָה

"יוֹסִי," אָמְרָה אִמָּא,
"מַה קָּרָה, מַדּוּעַ אַתָּה בּוֹכֶה?"

"Yossi", Mom said,
"What's happened? Why are you crying"?

ice קֶרַח

ké.rahkh קֶרַח

בַּמְּקָרֵר יֵשׁ קֶרַח.

There is ice in the refrigerator.

horn קֶרֶן

ké.rén קֶרֶן

לָאַיִל יֵשׁ קַרְנַיִם. הַקֶּרֶן קָשָׁה וְחַדָּה.

A ram has horns.
The horn is hard and strong.

tore קָרַע

kah.rah קָרַע

דָּן קָרַע עִתּוֹן יָשָׁן.

Dan tore up an old newspaper.

Colors צְבָעִים

ts(e)vah.eem

yellow צָהֹב
tsah.hov

orange כָּתֹם
kah.tom

pink וָרֹד
vah.rod

red אָדֹם
ah.dom

brown חוּם
khoom

green יָרֹק
yah.rok

light blue תְּכֵלֶת
t(e)khé.lét

blue כָּחֹל
kah.khol

purple סָגֹל
sah.gol

black שָׁחֹר
shah.khor

grey אָפֹר
ah.for

white לָבָן
lah.vahn

toad **קַרְפָּדָה**
kahr.pah.dah קַרְפָּדָה

הַקַּרְפָּדָה דּוֹמָה לִצְפַרְדֵּעַ;
הִיא יְכוֹלָה לִחְיוֹת בַּמַּיִם וְעַל הַיַּבָּשָׁה.

A toad is like a frog.
It can live in water and on land.

board **קֶרֶשׁ**
ké.résh קֶרֶשׁ

בִּבְרֵכַת הַשְּׂחִיָּה יֵשׁ קֶרֶשׁ קְפִיצָה לַמַּיִם.

There is a diving board
at the swimming pool.

decorated **קִשֵּׁט**
kee.shét קִשֵּׁט

אַבָּא קִשֵּׁט אֶת הַבַּיִת בְּחַג הָעַצְמָאוּת.

Dad decorated the house
for Independence Day.

tied **קָשַׁר**
kah.shahr קָשַׁר

מִי קָשַׁר אֶת הַסֶּרֶט שֶׁל רוּתִי?
אִמָּא קָשְׁרָה אוֹתוֹ.

"Who tied Ruthie's ribbon?"
"Mom did."

bow **קֶשֶׁת**
ké.shét קֶשֶׁת

בְּלַ"ג בָּעֹמֶר מְשַׂחֲקִים בְּקֶשֶׁת וָחֵץ.

At Lag B'Omer we play
with a bow and arrow.

rainbow קֶשֶׁת
ké.shét קֶשֶׁת

בַּקֶּשֶׁת שֶׁבַּשָּׁמַיִם יֵשׁ צְבָעִים רַבִּים.

There are many colors
in the rainbow.

saw רָאָה
rah.ah רָאָה

אֵהוּד רָאָה אֲוִירוֹן.
גַּם שִׁירְלִי רָאֲתָה אוֹתוֹ.

Ehud saw an airplane.
Shirley saw it, too.

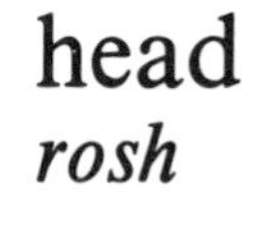

head רֹאשׁ
rosh ראש

הָרֹאשׁ הוּא הַחֵלֶק הָעֶלְיוֹן
שֶׁל הַגּוּף מֵעַל הַצַּוָּאר.

The head is the top part
of our body, above the neck.

Rosh-Hashanah רֹאשׁ־הַשָּׁנָה
rosh-ha.shah.nah ראש־הַשָּׁנָה

רֹאשׁ־הַשָּׁנָה הוּא חַג לִכְבוֹד הַהַתְחָלָה
שֶׁל הַשָּׁנָה הַחֲדָשָׁה.

Rosh Hashanah is a holiday
that celebrates the beginning
of the New Year.

fought/ quarreled רָב
rahv רָב

גַּבִּי רָב עִם יָרוֹן, אֲבָל הֵם חֲבֵרִים.

Gabi quarreled with Yaron,
but they are friends.

most of — **רֹב**

rov — רֹב

נָתַתִּי אֶת רֹב הַגֻּלּוֹת שֶׁלִּי.
נִשְׁאֲרוּ לִי רַק שְׁתַּיִם.

I gave away most of my marbles.
I have only two left.

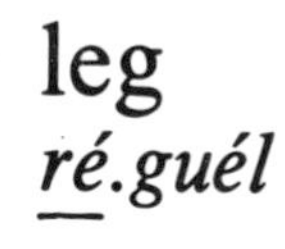

jam — **רִבָּה**

ree.bah — רִבָּה

אֲנִי אוֹהֵב לֶאֱכֹל לֶחֶם בְּרִבָּה.

I love to eat bread and jam.

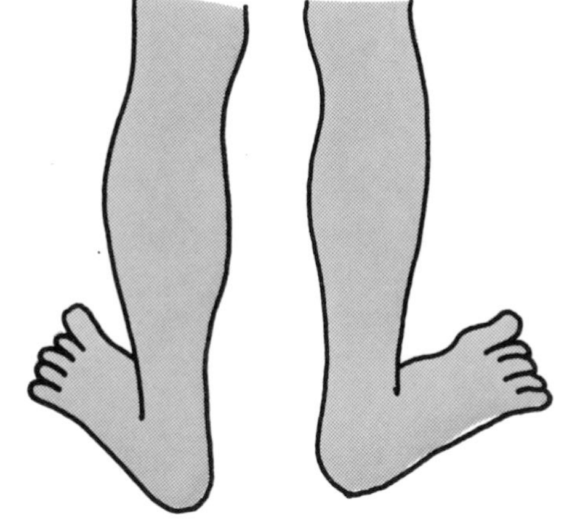

leg — **רֶגֶל**

ré.guél — רֶגֶל

לָאָדָם יֵשׁ שְׁתֵּי רַגְלַיִם;
רֶגֶל יָמִין וְרֶגֶל שְׂמֹאל.

Man has two legs:
a right leg and a left one.

moment — **רֶגַע**

ré.gah — רֶגַע

רֶגַע הוּא זְמַן קָצָר מְאֹד.

A moment is a very short time.

ran after — **רָדַף**

rah.dahf — רָדַף

אָסָף רָדַף אַחֲרֵי יוֹאָב.

Asaf ran after Yoav.

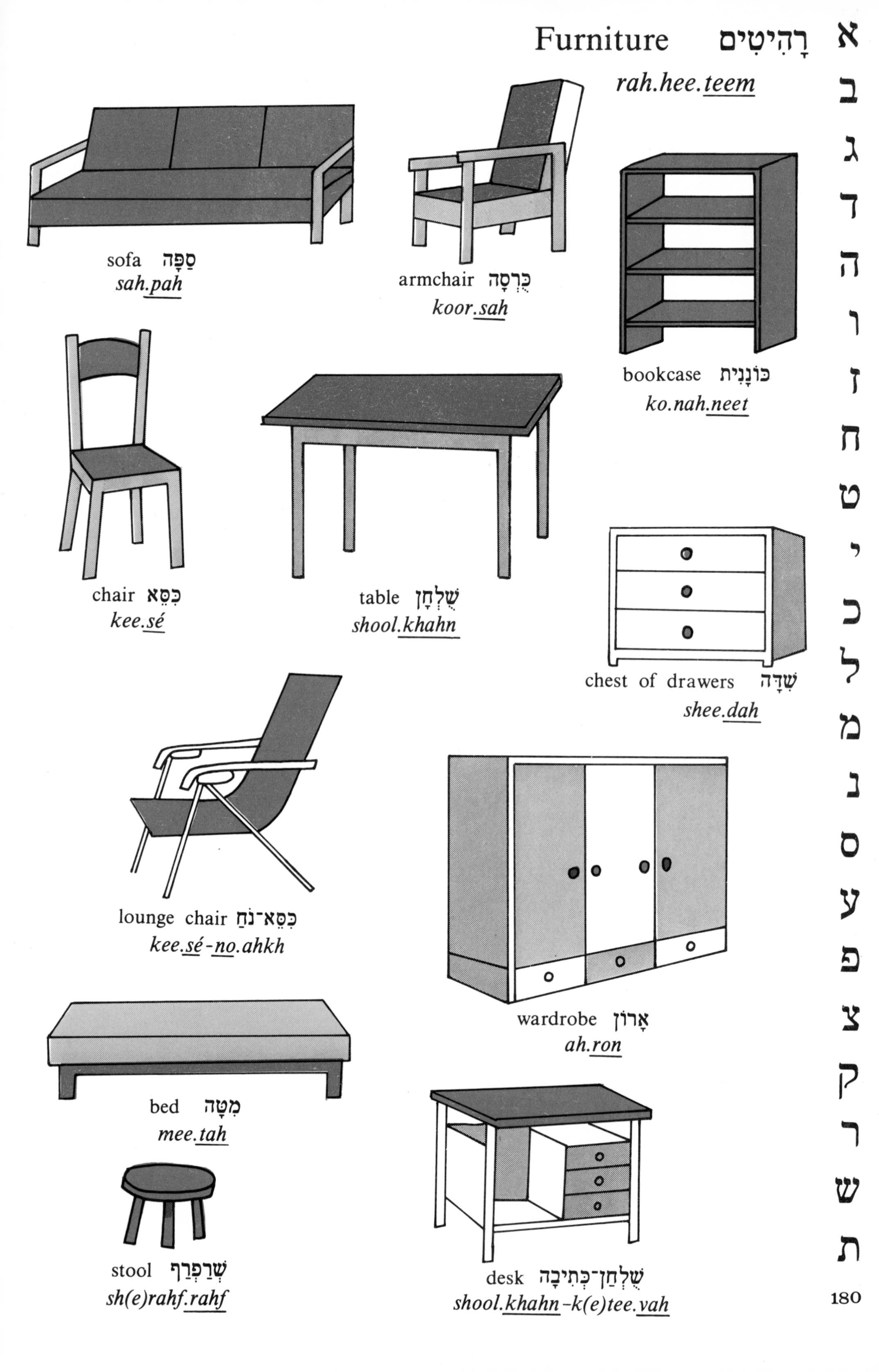

Furniture רָהִיטִים
rah.hee.teem
sofa סַפָּה
sah.pah
armchair כֻּרְסָה
koor.sah
bookcase כּוֹנָנִית
ko.nah.neet
chair כִּסֵּא
kee.sé
table שֻׁלְחָן
shool.khahn
chest of drawers שִׁדָּה
shee.dah
lounge chair כִּסֵּא־נֹחַ
kee.sé-no.ahkh
wardrobe אָרוֹן
ah.ron
bed מִטָּה
mee.tah
stool שְׁרַפְרַף
sh(e)rahf.rahf
desk שֻׁלְחַן־כְּתִיבָה
shool.khahn-k(e)tee.vah
א ב ג ד ה ו ז ח ט י כ ל מ נ ס ע פ צ ק ר ש ת

א ב ג ד ה ו ז ח ט י כ ל מ נ ס ע פ צ ק ר ש ת

rifle רוֹבֶה
ro.véh רוֹבֶה

לְכָל חַיָּל בַּצָּבָא יֵשׁ רוֹבֶה.
Every soldier in the army has a rifle.

wind רוּחַ
roo.ahkh רוּחַ

בַּחֹרֶף נוֹשֶׁבֶת רוּחַ חֲזָקָה וְקָרָה.
A cold, strong wind blows in winter time.

doctor רוֹפֵא
ro.fé רוֹפֵא

דָּן הָיָה חוֹלֶה, הָרוֹפֵא בָּדַק אוֹתוֹ.
Dan was sick.
The doctor examined him.

shepherd רוֹעֶה
ro.éh רוֹעֶה

הָרוֹעֶה שׁוֹמֵר עַל עֵדֶר הַצֹּאן.
The shepherd watched the flock of sheep.

druggist רוֹקֵחַ
ro.ké.ahkh רוֹקֵחַ

הָרוֹקֵחַ עוֹבֵד בְּבֵית־מִרְקַחַת.
The druggist works in a drug store.

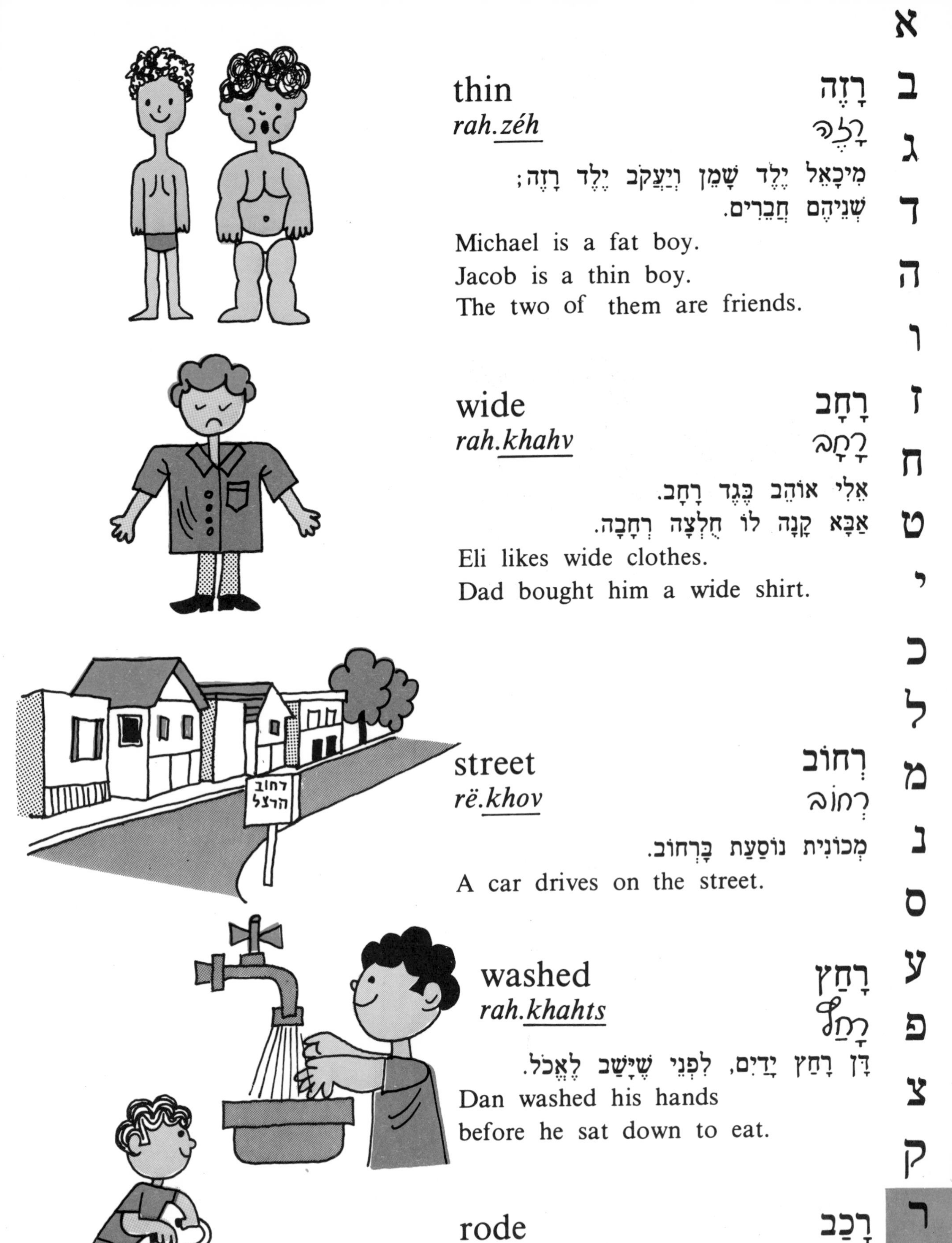

thin רָזֶה
rah.zéh רָזֶה

מִיכָאֵל יֶלֶד שָׁמֵן וְיַעֲקֹב יֶלֶד רָזֶה;
שְׁנֵיהֶם חֲבֵרִים.

Michael is a fat boy.
Jacob is a thin boy.
The two of them are friends.

wide רָחָב
rah.khahv רָחָב

אֵלִי אוֹהֵב בֶּגֶד רָחָב.
אַבָּא קָנָה לוֹ חֻלְצָה רְחָבָה.

Eli likes wide clothes.
Dad bought him a wide shirt.

street רְחוֹב
rë.khov רְחוֹב

מְכוֹנִית נוֹסַעַת בָּרְחוֹב.

A car drives on the street.

washed רָחַץ
rah.khahts רָחַץ

דָּן רָחַץ יָדַיִם, לִפְנֵי שֶׁיָּשַׁב לֶאֱכֹל.

Dan washed his hands
before he sat down to eat.

rode רָכַב
rah.khahv רָכַב

גִּיל רָכַב עַל הָאוֹפַנַּיִם לְבַקֵּר חָבֵר.

Gil rode his bicycle
to visit a friend.

א ב ג ד ה ו ז ח ט י כ ל מ נ ס ע פ צ ק ר ש ת

train רַכֶּבֶת
rah.ké.vét רַכֶּבֶת

הָרַכֶּבֶת נוֹסַעַת מֵחֵיפָה לְתֵל־אָבִיב.

The train travels
from Haifa to Tel Aviv.

pomegranate רִמּוֹן
ree.mon רִמּוֹן

הָרִמּוֹן הוּא פְּרִי. יֵשׁ בּוֹ גַּרְעִינִים רַבִּים.

The pomegranate is a fruit.
It has many seeds.

traffic light רַמְזוֹר
rahm.zor רַמְזוֹר

בְּרַמְזוֹר אוֹר אָדֹם, אוֹר יָרֹק וְאוֹר צָהֹב.

Traffic lights have a red light,
a green light and a yellow light.

Chief of Staff רַמַטְכָּ״ל
rah.maht.kahl רַמַטְכָּ״ל

הָרַמַטְכָּ״ל הוּא רֹאשׁ הַמַּטֶּה הַכְּלָלִי שֶׁל צַהַ״ל.

The Chief of Staff is
the head officer of the Israeli army.

hungry רָעֵב
rah.év רָעֵב

יִצְחָק הָיָה רָעֵב.
הוּא גָּמַר אֶת כָּל הָאֹכֶל.

Yitskhak was hungry.
He ate up all his food.

shivered/trembled רָעַד

rah.ahd רָעַד

דּוֹרוֹן רָעַד מִקֹּר, כִּי לֹא לָבַשׁ מְעִיל.

Doron shivered with cold because he wasn't wearing a coat.

poison רַעַל

rah.ahl רַעַל

הָרַעַל הוּא סַכָּנָה לַגּוּף שֶׁלָּנוּ.

Poison is dangerous to our body.

thunder רַעַם

rah.ahm רַעַם

בָּרָק הוּא הָאוֹר שֶׁאָנוּ רוֹאִים,
וְרַעַם הוּא הַקּוֹל שֶׁאָנוּ שׁוֹמְעִים,
כְּשֶׁיֵּשׁ סוּפַת גֶּשֶׁם.

Lightning is the light we see
and thunder is the noise we hear
during rain-storms.

noise רַעַשׁ

rah.ahsh רַעַשׁ

בְּבֵית־הַסֵּפֶר יֵשׁ רַעַשׁ גָּדוֹל בַּהַפְסָקָה.

At school there is a lot of noise during recess.

noisemaker רַעֲשָׁן

rah.ah.shahn רַעֲשָׁן

בְּחַג פּוּרִים מַרְעִישִׁים בְּרַעֲשָׁן.

At Purim time we use
a noisemaker to make a noise.

cowshed — רֶפֶת

ré.fét — רֶפֶת

הָאִכָּר מַאֲכִיל אֶת הַפָּרוֹת בָּרֶפֶת.

The farmer feeds the cows
in the cowshed.

ran — רָץ

rahts — רָץ

הִלֵּל רָץ בַּתַּחֲרוּת וְהִגִּיעַ רִאשׁוֹן.

Hillel ran the race and came in first.

floor — רִצְפָּה

reets.pah — רִצְפָּה

בְּכָל חֶדֶר יֵשׁ תִּקְרָה לְמַעְלָה
וְרִצְפָּה לְמַטָּה.

There is a ceiling above
and a floor below
in every room.

only — רַק

rahk — רַק

כָּל הַיְלָדִים יָצְאוּ לְטִיּוּל,
רַק אֲנִי לֹא יָצָאתִי, כִּי הָיִיתִי חוֹלֶה.

All the children went on a trip;
only I didn't go, because
I was sick.

danced — רָקַד

rah.kahd — רָקַד

בָּרוּךְ רָקַד בַּחֶדֶר, וְרוּת רָקְדָה בָּאוּלָם.

Baruch danced in the room
and Ruth danced in the hall.

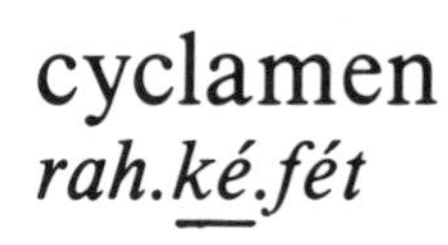

cyclamen רַקֶּפֶת
rah.ké.fét רַקֶּפֶת

רַקֶּפֶת הִיא פֶּרַח.
הָרַקֶּפֶת צוֹמַחַת בָּהָר בֵּין הַסְּלָעִים.

The cyclamen is a flower.
It grows in the mountains among the rocks.

net רֶשֶׁת
ré.shét רֶשֶׁת

הַגָּדֵר עֲשׂוּיָה רֶשֶׁת שֶׁל מַתֶּכֶת.

The fence is made of a metal- wire net.

that/which ...שֶׁ
shé ...שֶׁ

הַסֵּפֶר שֶׁנָּתַתָּ לִי — מְעַנְיֵן מְאֹד.

The book that you gave me is very interesting.

asked שָׁאַל
shah.ahl שָׁאַל

רָן שָׁאַל: "אַבָּא, מַה הַשָּׁעָה?"

Ron asked,
"Dad, what's the time?"

returned שָׁב
shahv שָׁב

הַגּוֹזָל עָף מִן הַקֵּן, וְשָׁב אֵלָיו בַּחֲזָרָה.

The baby bird flew out of the nest and then returned to it.

א
ב
ג
ד
ה
ו
ז
ח
ט
י
כ
ל
מ
נ
ס
ע
פ
צ
ק
ר
ש
ת

week — שָׁבוּעַ
shah.voo.ah — שָׁבוּעַ

כַּשָּׁבוּעַ יֵשׁ שִׁבְעָה יָמִים.
There are seven days in a week.

Shavuot — שָׁבוּעוֹת
shah.voo.ot — שָׁבוּעוֹת

קוֹרְאִים לֶחָג "שָׁבוּעוֹת" — כִּי יֵשׁ שִׁבְעָה שָׁבוּעוֹת מִפֶּסַח וְעַד שָׁבוּעוֹת.
We call this holiday "Shavuot" because there are seven weeks from Pesach to Shavuot.

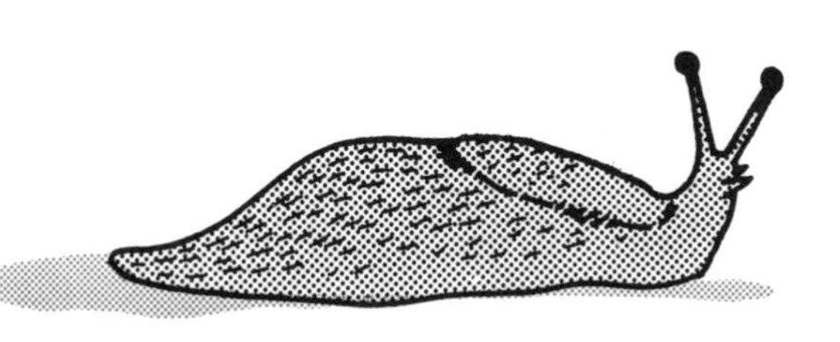

slug — שַׁבְּלוּל
shahb.lool — שַׁבְּלוּל

לַשַּׁבְּלוּל יֵשׁ גּוּף רַךְ, אֵין לוֹ רַגְלַיִם, וְהוּא זוֹחֵל עַל הָאֲדָמָה.
A slug has a soft body.
It hasn't any legs,
and it crawls on the ground.

ear (of wheat) — שִׁבֹּלֶת
shee.bo.lét — שִׁבֹּלֶת

בְּשִׁבֹּלֶת שֶׁל חִטָּה יֵשׁ גַּרְעִינִים.
There are grains in the ear of wheat.

broke — שָׁבַר
shah.vahr — שָׁבַר

הַכַּדּוּר פָּגַע בַּחַלּוֹן וְשָׁבַר אוֹתוֹ.
The ball hit the window and broke it.

Shabbath שַׁבָּת
shah.baht שַׁבָּת

שַׁבָּת הוּא יוֹם מְנוּחָה.
Shabbath is the day of rest.

field שָׂדֶה
sah.déh שָׂדֶה

תָּמָר קָטְפָה פְּרָחִים בַּשָּׂדֶה.
Tamar picked flowers in the field.

dovecote שׁוֹבָךְ
sho.vahkh שׁוֹבָךְ

שׁוֹבָךְ הוּא הַבַּיִת שֶׁל הַיּוֹנָה.
A dovecote is a place
where doves live.

policeman שׁוֹטֵר
sho.tér שׁוֹטֵר

הַשּׁוֹטֵר מְכַוֵּן אֶת הַתְּנוּעָה.
The policeman directs the traffic.

fox שׁוּעָל
shoo.ahl שׁוּעָל

הַשּׁוּעָל הוּא בַּעַל-חַיִּים טוֹרֵף.
A fox is a wild animal.

א ב ג ד ה ו ז ח ט י כ ל מ נ ס ע פ צ ק ר ש ת

shofar — **שׁוֹפָר**
sho.fahr — שׁוֹפָר

בְּרֹאשׁ־הַשָּׁנָה וּבְיוֹם כִּפּוּר
תּוֹקְעִים בַּשּׁוֹפָר בְּבֵית־הַכְּנֶסֶת.
Rosh-Hashanah and Yom Kippur
are holidays when we blow
the shofar at the synagogue.

market — **שׁוּק**
shook — שׁוּק

אִמָּא קָנְתָה בַּשּׁוּק יְרָקוֹת וּפֵרוֹת.
Mom bought fruit and vegetables
at the market.

row/line — **שׁוּרָה**
shoo.rah — שׁוּרָה

הַיְלָדִים עָמְדוּ בִּשְׁתֵּי שׁוּרוֹת:
שׁוּרָה שֶׁל בָּנִים וְשׁוּרָה שֶׁל בָּנוֹת.
The children stood in two lines:
one for boys and one for girls.

swam — **שָׂחָה**
sah.khah — שָׂחָה

דָּוִד שָׂחָה בַּבְּרֵכָה, וְתָמָר שָׂחֲתָה בַּיָּם.
David swam in the swimming pool
and Tamar swam in the sea.

played — **שִׂחֵק**
see.khék — שִׂחֵק

אָסָף שִׂחֵק עִם יוֹאָב בְּכַדּוּר.
Asaf played ball with Yoav.

sailed שָׁט
shaht שָׁט

גַּבִּי שָׁט בְּסִירַת מִפְרָשׂ.
Gabi sailed in a sailboat.

bush שִׂיחַ
see.ahkh שִׂיחַ

שִׂיחַ הוּא צֶמַח. יֵשׁ לוֹ גֶּזַע קָצָר.
A bush is a plant.
It has a low trunk.

chimpanzee שִׁימְפַּנְזֶה
sheem.pahn.zéh שִׁימְפַּנְזֶה

הַשִּׁימְפַּנְזֶה חַי בְּאַפְרִיקָה
וְאוֹכֵל בְּעִקָּר פֵּרוֹת.
The chimpanzee lives in Africa
and mostly eats fruit.

of/belong(ing) to שֶׁל
shél שֶׁל

הַמַּחְבֶּרֶת שֶׁל שָׁרוֹן שַׁיֶּכֶת לְשָׁרוֹן.
Sharon's notebook is the notebook
that belongs to Sharon.

neighbor שָׁכֵן
shah.khén שָׁכֵן

אָדוֹן לֵוִי הוּא שָׁכֵן שֶׁלִּי,
גַּם גְּבֶרֶת לֵוִי הִיא שְׁכֵנָה שֶׁלִּי.
Mr. Levy is my neighbor –
and Mrs. Levy is my neighbor, too.

lay down — שָׁכַב
sha.khahv

שָׁכַב

יַעֲקֹב שָׁכַב בַּלַּיְלָה בַּמִּטָּה וְיָשֵׁן.

Jacob lay down in bed at night and slept.

snow — שֶׁלֶג
shé.lég

שֶׁלֶג

בִּירוּשָׁלַיִם יוֹרֵד לִפְעָמִים שֶׁלֶג.

Snow sometimes falls in Jerusalem.

kingfisher — שַׁלְדָּג
shahl.dahg

שַׁלְדָּג

הַשַּׁלְדָּג הוּא צִפּוֹר.
הוּא חַי עַל-יַד מַיִם.

The kingfisher is a bird.
It lives near water.

Hello — שָׁלוֹם
shah.lom

שָׁלוֹם

"שָׁלוֹם הַמּוֹרָה," אָמַר דָּן.
"שָׁלוֹם דָּן!" עָנְתָה הַמּוֹרָה.

"Hello, teacher," said Dan.
"Hello, Dan," answered the teacher.

table — שֻׁלְחָן
shool.khahn

שֻׁלְחָן

בַּאֲרוּחַת הַצָּהֳרַיִם יָשְׁבָה כָּל הַמִּשְׁפָּחָה סְבִיב הַשֻּׁלְחָן.

At lunchtime all the family sat around the table.

shedding of leaves שַׁלֶּכֶת
shah.lé.khét שַׁלֶּכֶת

עֵץ הַשָּׁקֵד עוֹמֵד בְּשַׁלֶּכֶת בַּחֹרֶף.
The almond tree sheds its leaves
in the winter.

paid שִׁלֵּם
shee.lém שִׁלֵּם

אֵלִי שִׁלֵּם כֶּסֶף וְקִבֵּל גְּבִיעַ גְּלִידָה.
Eli paid some money
and got an ice cream cone.

put(s) שָׂם
sahm שָׂם

אַבָּא שָׂם אֶת הַסֵּפֶר עַל הַמַּדָּף.
Dad put the book on the shelf.

there שָׁם
shahm שָׁם

אֱיָל גָּר שָׁם, בְּסוֹף הָרְחוֹב.
Eyal lives there,
at the end of the road.

was happy שָׂמַח
sah.mahkh שָׂמַח

אַבָּא שָׂמַח לִפְגֹּשׁ אֶת רָחֵל הַקְּטַנָּה.
Dad was happy to meet
little Rachel.

Simhat-Torah שִׂמְחַת־תּוֹרָה

seem.khaht to.rah שִׂמְחַת-תּוֹרָה

בְּשִׂמְחַת־תּוֹרָה שָׁרִים וְרוֹקְדִים עִם הַתּוֹרָה בְּבֵית־הַכְּנֶסֶת.

On Simhat Torah
we sing and dance with the Torah
at the synagogue.

blanket שְׂמִיכָה

s(e)mee.khah שְׂמִיכָה

בַּחֹרֶף אֲנִי מִתְכַּסֶּה בִּשְׂמִיכָה.

In winter I cover myself
with a blanket.

sky שָׁמַיִם

shah.mah.yeem שָׁמַיִם

הַשֶּׁמֶשׁ, הַיָּרֵחַ וְהַכּוֹכָבִים נִמְצָאִים בַּשָּׁמַיִם.

The sun, moon and stars
are in the sky.

dress שִׂמְלָה

seem.lah שִׂמְלָה

אִמָּא קָנְתָה לְגִילָה שִׂמְלָה יָפָה.

Mom bought Gila
a beautiful dress.

heard שָׁמַע

shah.mah שָׁמַע

סַבָּא שָׁמַע אֶת הַחֲדָשׁוֹת בָּרַדְיוֹ.

Grandpa heard the news
on the radio.

sun — **שֶׁמֶשׁ**

shé.mésh — שֶׁמֶשׁ

הַשֶּׁמֶשׁ זוֹרַחַת וְנוֹתֶנֶת לָנוּ אוֹר.

The sun shines and gives us light.

tooth — **שֵׁן**

shén — שֵׁן

לַתִּינוֹק יֵשׁ רַק שֵׁן אַחַת.

The baby has only one tooth.

ניסן	תשרי
אייר	חשון
סיון	כסלו
תמוז	טבת
אב	שבט
אלול	אדר

year — **שָׁנָה**

shah.nah — שָׁנָה

בַּשָּׁנָה יֵשׁ שְׁנֵים עָשָׂר חֳדָשִׁים.

A year has twelve months.

time — **שָׁעָה**

shah.ah — שָׁעָה

מַה הַשָּׁעָה? הַשָּׁעָה הִיא שְׁמוֹנֶה.

"What time is it?"

"It's eight o'clock".

watch/clock — **שָׁעוֹן**

shah.on — שָׁעוֹן

אִם רוֹצִים לָדַעַת מַה הַשָּׁעָה,
מִסְתַּכְּלִים בַּשָּׁעוֹן.

If we want to know what time it is, we look at the clock.

א ב ג ד ה ו ז ח ט י כ ל מ נ ס ע פ צ ק ר ש ת

gate שַׁעַר
shah.ahr שַׁעַר

בַּכְּנִיסָה לֶחָצֵר יֵשׁ שַׁעַר בַּרְזֶל.
At the entrance to the yard there is an iron gate.

hair שֵׂעָר
sé.ahr שֵׂעָר

לְתָמָר יֵשׁ שֵׂעָר בָּהִיר וְאָרֹךְ.
Tamar has long blond hair.

language שָׂפָה
sah.fah שָׂפָה

רֹב הָאֲנָשִׁים בְּיִשְׂרָאֵל מְדַבְּרִים בַּשָּׂפָה הָעִבְרִית.
Most of the people in Israel speak the Hebrew language.

moustache שָׂפָם
sah.fahm שָׂפָם

לְאָחִי יֵשׁ שָׂפָם אָרֹךְ.
My brother has a long moustache.

hyrax (rock rabbit) שָׁפָן
shah.fahn שָׁפָן

הַשָּׁפָן הוּא בַּעַל-חַיִּים.
יֵשׁ לוֹ אָזְנַיִם קְצָרוֹת וְאֵין לוֹ זָנָב.
The hyrax is an animal.
It has short ears and no tail.

quiet — שֶׁקֶט
shé.két — שֶׁקֶט

אוּרִי צָעַק. אִמָּא אָמְרָה: "שֶׁקֶט, שֶׁקֶט!"
Uri shouted.
Mom said, "Quiet! Be quiet!".

almond — שָׁקֵד
shah.kéd — שָׁקֵד

יִצְחָק אָכַל שְׁקֵדִים טְעִימִים,
אֲבָל שָׁקֵד אֶחָד הָיָה מַר.
Yitskhak ate some tasty almonds,
but one almond was bitter.

sang — שָׁר
shahr — שָׁר

עִדּוֹ שָׁר שִׁיר חָדָשׁ שֶׁשָּׁמַע בַּטֶּלֶוִיזְיָה.
Edo sang a new song that
he had heard on T.V.

shoelace — שְׂרוֹךְ
s(e)rokh — שְׂרוֹךְ

רָן קָשַׁר אֶת הַשְּׂרוֹךְ שֶׁל הַנַּעַל שֶׁלּוֹ.
Ran tied his shoelace.

root — שֹׁרֶשׁ
sho.résh — שֹׁרֶשׁ

הַשֹּׁרֶשׁ הוּא הַחֵלֶק שֶׁל הָעֵץ
שֶׁנִּמְצָא בְּתוֹךְ הָאֲדָמָה.
The root is the part of the tree
that is underground.

chain שַׁרְשֶׁרֶת
shahr.shé.rét שַׁרְשֶׁרֶת

גָּד נָעַל אֶת הָאוֹפַנַּיִם בְּמַנְעוּל וְשַׁרְשֶׁרֶת.
Gad fastened his bicycle
with a lock and chain.

drank שָׁתָה
shah.tah שָׁתָה

אֵהוּד שָׁתָה מַיִם, כִּי הָיָה צָמֵא.
Ehud drank water
because he was thirsty.

seedling שָׁתִיל
shah.teel שָׁתִיל

גַּיְא שָׁתַל בְּטוּ בִּשְׁבָט
שָׁתִיל שֶׁל עֵץ בְּרוֹשׁ.
At Tu B'Shvat,
Guy planted a cypress seedling.

kept quiet שָׁתַק
shah.tahk שָׁתַק

לֵאָה שָׁתְקָה, אֲבָל יוֹאֵל לֹא שָׁתַק;
הוּא דִּבֵּר עִם שָׁאוּל.
Lea kept quiet, but Yoel didn't:
he spoke to Shaul.

locker תָּא
tah תָּא

אָמִיר שָׂם אֶת כָּל חֲפָצָיו בַּתָּא שֶׁלּוֹ.
Amir put all his things
in his locker.

appetite — **תֵּאָבוֹן**

té:ah.von — תֵּאָבוֹן

כְּשֶׁיֵּשׁ תֵּאָבוֹן — רוֹצִים לֶאֱכֹל.

When you have an appetite
you want to eat.

twins — **תְּאוֹמִים**

të.o.meem — תְּאוֹמִים

אַלּוֹן וְגִלְעָד אַחִים תְּאוֹמִים;
הֵם נוֹלְדוּ בְּאוֹתוֹ הַיּוֹם וּבְאוֹתָהּ הַשָּׁעָה.

Alon and Gilad are twin brothers.
They were born the same day
at the same time.

fig — **תְּאֵנָה**

të.é.nah — תְּאֵנָה

הַתְּאֵנָה הִיא פְּרִי.
הִיא מַבְשִׁילָה בַּקַּיִץ, וְיֵשׁ לָהּ טַעַם מָתוֹק.

The fig is a fruit. It ripens
in summer and tastes sweet.

date — **תַּאֲרִיךְ**

tah.ah.reekh — תַּאֲרִיךְ

תַּאֲרִיךְ יוֹם הַהֻלֶּדֶת שֶׁל מְדִינַת יִשְׂרָאֵל
הוּא ה' בְּאִיָּר תש"ח.

The date of the birthday
of the State of Israel
is the 5th of Iyar, 5708
(May 14, 1948).

grain — **תְּבוּאָה**

t(e)voo.ah — תְּבוּאָה

הָאִכָּר מְגַדֵּל תְּבוּאָה בַּשָּׂדֶה.

The farmer grows grain in the field.

tea תֵּה

téh תֵּה

אַבָּא שָׁתָה כּוֹס תֵּה חַם.

Dad drank a glass of hot tea.

Thank you תּוֹדָה

to.dah תּוֹדָה

רוּת נָתְנָה מַתָּנָה לְדָן.

דָּן אָמַר לָהּ "תּוֹדָה".

Ruth gave Dan a gift.

Dan said "Thank you".

worm תּוֹלַעַת

to.lah.aht תּוֹלַעַת

תּוֹלַעַת יְכוֹלָה לִזְחֹל קָדִימָה וַאֲחוֹרָה.

A worm can crawl forwards and backwards.

turtle-dove תּוֹר

tor תּוֹר

הַתּוֹר הוּא צִפּוֹר.

הַתּוֹר בָּא לְיִשְׂרָאֵל בָּאָבִיב.

The turtle-dove is a bird.

It comes to Israel in the Spring.

person on duty תּוֹרָן

to.rahn תּוֹרָן

תּוֹרַן הַכִּתָּה צָרִיךְ לְנַקּוֹת אֶת הַלּוּחַ.

The person on duty in the classroom must clean the blackboard.

strawberry — תּוּת שָׂדֶה

toot sah.déh — תּוּת שָׂדֶה

תּוּת הַשָּׂדֶה מַבְשִׁיל בַּחֹרֶף.

Strawberries ripen in the winter.

orchestra — תִּזְמֹרֶת

teez.mo.rét — תִּזְמֹרֶת

הַתִּזְמֹרֶת שֶׁל בֵּית־הַסֵּפֶר מְנַגֶּנֶת בַּחֲגִיגָה.

The school orchestra plays during the party.

bandage — תַּחְבֹּשֶׁת

tahkh.bo.shét — תַּחְבֹּשֶׁת

הָאָחוֹת חָבְשָׁה אֶת הַפֶּצַע בְּתַחְבֹּשֶׁת.

The nurse dressed the wound with a bandage.

station — תַּחֲנָה

tah.khah.nah — תַּחֲנָה

אֲנָשִׁים מְחַכִּים לָאוֹטוֹבּוּס בַּתַּחֲנָה.

People wait for the bus at the (bus) station

baby — תִּינוֹק

tee.nok — תִּינוֹק

הַתִּינוֹק בּוֹכֶה הַרְבֵּה, וְלֹא יוֹדֵעַ לְדַבֵּר.

A baby cries a lot and doesn't know how to talk.

א
ב
ג
ד
ה
ו
ז
ח
ט
י
כ
ל
מ
נ
ס
ע
פ
צ
ק
ר
ש
ת

briefcase/bag תִּיק
teek תִּיק

יוֹסִי הָלַךְ לְבֵית־הַסֵּפֶר
עִם תִּיק גָּדוֹל לִסְפָרִים וְתִיק קָטָן לְאֹכֶל.
Yossi went to school
with a big briefcase for books
and a small bag for food.

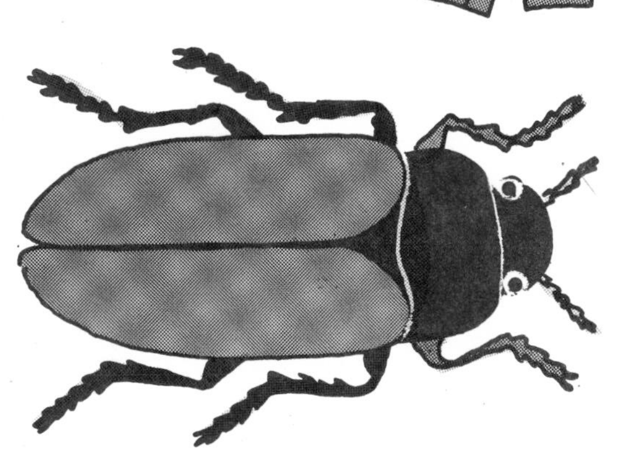

cockroach תִּיקָן
tee.kahn תִּיקָן

הַתִּיקָן הוּא חֶרֶק שֶׁחַי עַל פְּנֵי הָאֲדָמָה.
A cockroach is an insect
which lives on the ground.

tourist תַּיָּר
tah.yahr תַּיָּר

הַתַּיָּר טִיֵּל בְּיִשְׂרָאֵל וְרָאָה מְקוֹמוֹת יָפִים.
The tourist toured Israel
and saw beautiful places.

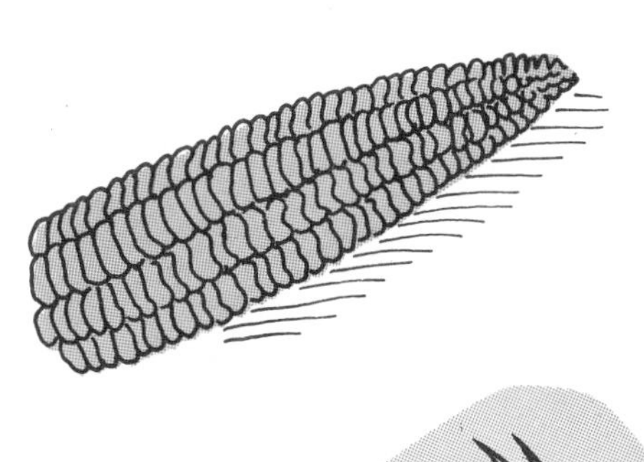

corn תִּירָס
tee.rahs תִּירָס

רָמִי אוֹכֵל תִּירָס חַם.
Rami eats hot corn.

goat תַּיִשׁ
tah.yeesh תַּיִשׁ

לַתַּיִשׁ יֵשׁ זָקָן אָרֹךְ וְקַרְנַיִם גְּדוֹלוֹת.
A goat has a long beard
and big horns.

parrot — תֻּכִּי

too.kee — תֻּכִּי

אֶפְשָׁר לְלַמֵּד תֻּכִּי לְהַגִּיד מִלִּים.

You can teach a parrot
to say words.

uniform — תִּלְבֹּשֶׁת

teel.bo.shét — תִּלְבֹּשֶׁת

הַיְלָדִים לוֹבְשִׁים תִּלְבֹּשֶׁת אֲחִידָה
לְבֵית־הַסֵּפֶר.

Some children wear uniforms
to school.

pupil — תַּלְמִיד

tahl.meed — תַּלְמִיד

אוּרִי הוּא תַּלְמִיד כִּתָּה א׳ בְּבֵית־הַסֵּפֶר.

Uri is a pupil in the first grade
in school.

curl — תַּלְתַּל

tahl.tahl — תַּלְתַּל

לְחַוָּה יֵשׁ הַרְבֵּה תַּלְתַּלִּים,
אֲבָל לְרָחֵל אֵין אַף תַּלְתַּל אֶחָד.

Hava has many curls,
but Rachel hasn't any.

picture — תְּמוּנָה

t(e)moo.nah — תְּמוּנָה

בַּחֶדֶר תְּלוּיָה תְּמוּנָה יָפָה עַל הַקִּיר.

There is a pretty picture hanging
on the wall in this room.

always — תָּמִיד

tah.meed — תָּמִיד

הַשֶּׁמֶשׁ תָּמִיד זוֹרַחַת בַּיּוֹם,
וְאַף פַּעַם אֵינָהּ זוֹרַחַת בָּעֶרֶב.

The sun always shines
in the daytime.
It never shines at night.

date-palm tree — תָּמָר

tah.mahr — תָּמָר

אָנוּ אוֹכְלִים אֶת הַתְּמָרִים הַגְּדֵלִים
עַל עֵץ הַתָּמָר.

We eat the dates that grow
on the date-palm tree.

road sign — תַּמְרוּר

tahm.roor — תַּמְרוּר

הַנֶּהָג עָצַר אֶת הַמְּכוֹנִית
כְּשֶׁרָאָה אֶת הַתַּמְרוּר "עֲצוֹר!".

The driver stopped the car
when he saw the road sign "Stop".

jackal — תַּן

tahn — תַּן

הַתַּן יָשֵׁן בַּיּוֹם,
וּבַלַּיְלָה הוּא מְחַפֵּשׂ טֶרֶף.

The jackal sleeps during the day
and hunts for prey at night.

heater — תַּנּוּר

tah.noor — תַּנּוּר

בַּחֹרֶף אָנוּ מְחַמְּמִים אֶת הַבַּיִת
בְּתַנּוּר חִמּוּם.

In winter we heat the house
with a heater.

crocodile תַּנִּין

tah.neen

תַּנִּין

הַתַּנִּין חַי בִּנְהָרוֹת בְּאֲרָצוֹת הַחַמּוֹת.

The crocodile lives in rivers in hot countries.

drum תֹּף

tof

תֹּף

אָחִי מְנַגֵּן בְּתֹף.

My brother plays the drums.

apple תַּפּוּחַ

tah.poo.ahkh

תַּפּוּחַ

תַּפּוּחַ הוּא פְּרִי שֶׁגָּדֵל עַל עֵץ.

An apple is a fruit which grows on a tree.

potato תַּפּוּחַ־אֲדָמָה

tah.poo.ahkh-ah.dah.mah

תַּפּוּחַ־אֲדָמָה

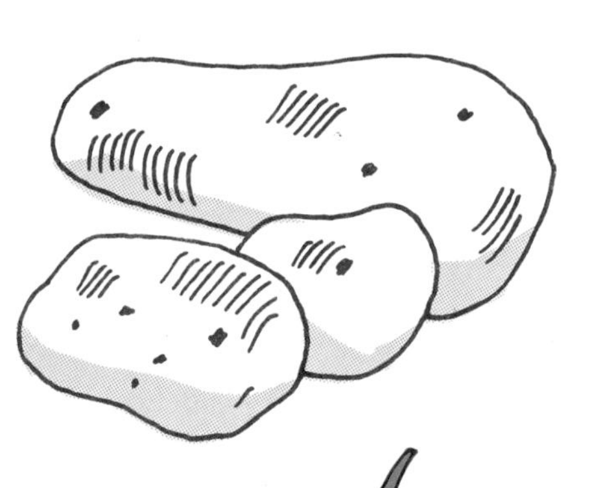

תַּפּוּחַ־אֲדָמָה גָּדֵל בְּתוֹךְ הָאֲדָמָה.

A potato grows in the ground.

orange תַּפּוּחַ־זָהָב (תַּפּוּז)

tah.poo.ahkh-zah.hahv (tah.pooz)

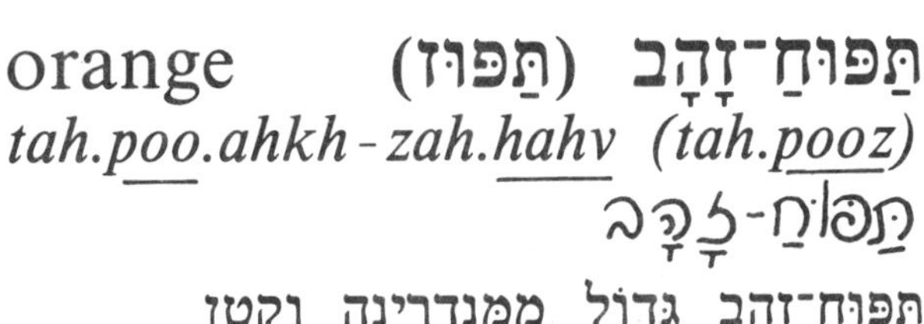

תַּפּוּחַ־זָהָב

תַּפּוּחַ־זָהָב גָּדוֹל מִמַּנְדָּרִינָה וְקָטָן מֵאֶשְׁכּוֹלִית.

An orange is larger than a tangerine, but smaller than a grapefruit.

א
ב
ג
ד
ה
ו
ז
ח
ט
י
כ
ל
מ
נ
ס
ע
פ
צ
ק
ר
ש
ת

grabbed **תָּפַס**
tah.fahs
תָּפַס

גָּד תָּפַס אֶת שָׁאוּל בַּחֻלְצָה.
Gad grabbed Shaul by the shirt.

fixed **תִּקֵּן**
tee.kén
תִּקֵּן

הַנַּגָּר תִּקֵּן אֶת הַכִּסֵּא הַשָּׁבוּר.
The carpenter fixed
the broken chair.

ceiling **תִּקְרָה**
teek.rah
תִּקְרָה

בַּחֶדֶר שֶׁלִּי יֵשׁ מְנוֹרָה בְּאֶמְצַע הַתִּקְרָה.
In my room there is a light
in the middle of the ceiling.

spinach **תֶּרֶד**
té.réd
תֶּרֶד

פּוֹפַּי אָכַל תֶּרֶד וְקִבֵּל כֹּחַ.
Popeye ate spinach
and grew strong.

medicine **תְּרוּפָה**
t(e)roo.fah
תְּרוּפָה

רָמִי בָּלַע אֶת הַתְּרוּפָה וְהִבְרִיא.
Rami swallowed his medicine
and got well.

back-pack תַּרְמִיל

tahr.meel תַּרְמִיל

אוּרִי שָׂם אֹכֶל בְּתוֹךְ הַתַּרְמִיל,
וְיָצָא לְטִיּוּל.

Uri put food in his back-pack and went for a hike.

hen תַּרְנְגֹלֶת

tahr.në.go.lét תַּרְנְגֹלֶת

הַתַּרְנְגֹלֶת מְטִילָה בֵּיצִים.

The hen lays eggs.

U

T

Q

R

P

L

M

I

J

K

F

E

B

מִלּוֹן עִבְרִי-אַנְגְּלִי מְצֻיָּר לִילָדִים

MY DICTIONARY

HEBREW-ENGLISH
ILLUSTRATED DICTIONARY
FOR CHILDREN